Né en 1971, à Abidjan, Gauz refuse à 18 ans une bourse pour faire des études de vétérinaire à Maisons-Alfort. Pour tout le monde, les sorciers lui ont jeté un sort. Après avoir été diplômé en biochimie et (un temps) sans-papiers, Gauz devient photographe, documentariste, et directeur d'un journal économique satirique en Côte-d'Ivoire. Il a aussi écrit le scénario d'un film sur l'immigration des jeunes Ivoiriens, *Après l'océan*...

GAUZ

Debout-payé

LE NOUVEL ATTILA

Ce qui suit n'est que pure fiction. Toute ressemblance avec des personnes réelles n'est pas pure coïncidence.

© Le nouvel Attila, 2014.
ISBN : 978-2-253-18555-0 – 1re publication LGF

Pour Céline

Sephora... ma nièce chérie
Le parfait parfum d'ici
Armand ton papa a ri
Ces mots jusqu'au paradis

Prologue

Nouvelles recrues

La longue file d'hommes noirs qui montent dans ces escaliers étroits ressemble à une cordée inédite à l'assaut du K2, le redoutable sommet de la chaîne himalayenne. L'ascension est rythmée par le seul bruit des pas sur les marches. Les escaliers sont raides, les genoux montent haut. Neuf marches, un palier, plus neuf marches supplémentaires font un étage. Les pas sont feutrés par un épais tapis rouge déplié exactement au milieu d'une cage trop étroite pour laisser passer deux hommes côte à côte. La cordée s'étire avec les étages et la fatigue. On entend souffler de temps en temps. Au 6e étage, le premier appuie sur le gros bouton d'un interphone cyclope surmonté de l'objectif noir d'une caméra de surveillance. Le grand bureau où tout le monde se retrouve en sueur est un open space. Aucune cloison n'arrête le regard, jusqu'à une cage de verre sur laquelle deux lettres marquent le territoire du mâle dominant des lieux : DG. Une baie vitrée offre gracieusement la vue sur les toits de Paris. Distribution de formulaires. À tour de bras. Ici, on recrute. On recrute des vigiles. Protect-75 vient d'obtenir de gros contrats de sécurité pour diverses enseignes commerciales de la région parisienne. Son besoin en main-d'œuvre est immense et urgent. Le bruit s'est très vite répandu dans la « communauté » africaine. Congolais, Ivoiriens, Maliens, Guinéens, Béninois, Sénégalais, etc., l'œil exercé identifie facilement les nationalités par le seul style vestimentaire. La combinaison polo-jean Levi's 501 des Ivoiriens ; le blouson cuir noir trop grand des Maliens ; la chemise rayée fourrée près du ventre des Béninois et des Togolais ; les superbes mocassins toujours bien cirés des Camerounais ; les couleurs improbables des Congolais de Brazza et le style outrancier des Congolais de Stanley... Dans le doute, c'est l'oreille qui prend le relais car dans la bouche d'un Africain, les accents que prend la langue française sont des marqueurs d'origine aussi fiables qu'un chromosome 21 en trop pour identifier le mongolisme ou une tumeur maligne pour diagnostiquer un cancer. Les Congolais modulent, les Camerounais chantonnent, les Sénégalais psalmodient, les Ivoiriens saccadent, les Béninois et les Togolais oscillent, les Maliens petit-nègrisent...

Chacun sort les quelques papiers demandés pour l'entretien d'embauche : les pièces d'identité, le classique CV et le CQP, une sorte d'autorisation administrative de travailler dans les métiers de la sécurité. Ici, on lui affuble le titre pompeux de diplôme. Il y a aussi la fameuse lettre de motivation : « intégrer une équipe dynamique », « s'inscrire dans un projet de carrière ambitieux », « mettre en adéquation sa formation et ses compétences », « veuillez agréer monsieur », « sentiments distingués », « l'expression de ma plus haute considération », etc. Les circonlocutions moyenâgeuses et les phrases lèche-cul des lettres de motivation font sourire en un tel lieu et dans de telles circonstances. Pour tous ici, il y a une très forte motivation, même si elle est différente selon le côté de la baie vitrée où l'on se trouve. Pour le mâle dominant dans la cage au fond de l'open space, avoir le plus gros chiffre d'affaires possible. Par tous les moyens. Caser le maximum de personnes possible est un de ces moyens-là. Pour la cordée noire de la cage d'escalier, sortir du chômage ou des emplois précaires. Par tous les moyens. Vigile est un de ces moyens-là. Relativement accessible. La formation est des plus minimalistes, aucune expérience n'est particulièrement exigée, les regards sont volontairement bienveillants sur les situations administratives, le profil morphologique est prétendument adéquat. Profil morphologique... Les Noirs sont costauds, les Noirs sont grands, les Noirs sont forts, les Noirs sont obéissants, les Noirs font peur. Impossible de ne pas penser à ce ramassis de clichés du bon sauvage qui sommeillent de façon atavique à la fois dans chacun des Blancs chargés du recrutement, et dans chacun des Noirs venus exploiter ces clichés en sa faveur. Mais ce n'est pas l'histoire ce matin. On s'en fout. Et puis, il y a aussi des Noirs dans les équipes qui recrutent. L'atmosphère est détendue. Quelqu'un s'essaye même à quelques allusions grivoises sur la proéminente paire de seins d'une des deux secrétaires préposées à la distribution des formulaires de recrutement. Chacun remplit sa demande d'emploi avec plus ou moins de concentration. Nom, prénom, sexe, date et lieu de naissance, situation matrimoniale, numéro de Sécurité sociale, etc. Ce sera l'épreuve intellectuelle la plus exigeante de la matinée. Quelques-uns regardent quand même sur la copie du voisin. Héritage des bancs de classe ou manque d'assurance. Quand on sort d'une longue période de chômage, on manque d'assurance. Des papiers circulent selon toutes les combinaisons possibles entre le groupe de négros et la secrétaire aux gros nénés. Après avoir paraphé et signé quelques feuilles blanches noircies de phrases ésotériques censées régir la relation de travail entre un bientôt-ex-chômeur et un bientôt-grand-patron, il est offert à chacun des membres du groupe un sac contenant un pantalon noir, une veste noire, une cravate noire, une chemise noire ou blanche, un emploi du temps mensuel indiquant des heures et des lieux de travail. Les contrats sont à durée indéterminée. Entrés chômeurs dans ces bureaux, tous ressortiront vigiles. Ceux qui ont déjà une expérience du métier savent ce qui les attend les prochains jours : rester debout toute la journée dans un magasin, répéter cet ennuyeux exploit de l'ennui, tous les jours, jusqu'à être payé à la fin du mois. Debout-payé. Et ce n'est pas aussi facile que ça en a l'air. Pour tenir le coup dans ce métier, pour garder du recul, pour ne pas tomber dans la facilité oisive ou au contraire dans le zèle imbécile et l'agressivité aigrie, il faut soit savoir se vider la tête de toute considération qui s'élève au-dessus de l'instinct ou du réflexe spinal, soit avoir une vie intérieure très intense. L'option crétin inguérissable est aussi très appréciable. Chacun sa méthode. Chacun ses objectifs. Chacun redescendra les six étages à sa façon.

À la « Chapelle »

Un bar tenu par un Kabyle, le magasin de vêtements d'un Chinois de Nankin, la boulangerie de la Tunisienne, la petite quincaillerie du Pakistanais, la bijouterie de l'Indien, un autre bar d'un autre Kabyle mais fréquenté par des Sénégalais, le taxiphone d'un Tamoul, re-quincaillerie pakistanaise, boucherie algérienne, re-magasin de vêtements d'un Chinois mais du Wenzhu, le magasin de friperie du Marocain, bar-tabac chinois wenzhu, un restaurant turc à ne surtout pas confondre avec la sandwicherie kurde voisine, boucherie du Djurdjura algérien, boutique des Balkans, épiciers marocains spécialistes de la cuisine africaine et antillaise, re-bar kabyle, mini-couloir de friperie du Yougoslave antipathique, magasin d'électronique du Coréen, cordonnerie Topy du Malien, quincaillerie du Tamoul, re-épicerie marocaine, re-bar kabyle spécialisé en ivrognes en phase préterminale, l'épicerie africaine du Coréen, casino clandestin croate, coiffeur tamoul, coiffeur algérien, coiffeuse africaine d'origine ivoirienne, épicerie camerounaise, boutique antillaise d'objets ésotériques et de bois bandé, cabinet médical juif… descendre la rue du Faubourg-du-Temple ressemble à une promenade sur une tour de Babel abattue par des artificiers et couchée dans le sens Belleville-place de la République. Et si le trésor caché des Templiers, c'était cette incroyable diversité d'origines et de cultures dans les faubourgs de leurs anciens QG ? Au niveau du métro Goncourt, l'avenue Parmentier trace la perpendiculaire. L'ambiance y est plus parisienne, plus française, plus occidentalement homogène, plus «normale»: bars à bobos, Caisse d'Épargne, boulangerie à l'ancienne avec de vraies bonnes baguettes enfarinées, Le Crédit Lyonnais, pizzeria italienne, Le Crédit Agricole, revendeur Apple, librairie-papeterie, BNP Paribas, restaurant référencé dans le Michelin et le Hachette, Le Crédit Mutuel, spécialiste de l'acoustique, la Société Générale, lycée à nom et prénom de défunt, HSBC banque suisse, magasin de chaussures de grandes pointures, re-Le Crédit Lyonnais, deux écoles primaires avec liste d'enfants déportés pendant la guerre, piscine municipale… Se dirigeant vers l'est, on finit par tomber sur la mairie du XIe arrondissement, avec ses ors et le drapeau tricolore au sommet de son toit d'ardoises noires, indiscutablement une bâtisse de la République de France. À partir de là, pour Ossiri, se rendre à la boutique Camaïeu, rue du Faubourg-Saint-Antoine, ressemble à un voyage dans le temps.

Du temps de la «Chapelle», Kassoum et lui avaient arpenté toutes les rues du quartier comme des géomètres: systématiquement. Jusqu'à l'ombre des petites fesses dorées de l'ange du totem de la place de la Bastille, cette partie du XIe arrondissement était, avec les Champs-

Élysées, un des grands amusodromes de Paris. Des bars branchés, des bars concept, des restaurants exotiques de toutes latitudes terrestres, des lounges, des clubs sélects, des night-clubs, des bars-dancings, des petites salles de concerts, etc., attiraient foule tous les soirs, surtout le week-end. Dans un style moins divertissant, ce quartier concentrait le plus grand nombre d'ateliers de vêtements exclusivement tenus par des Chinois. Dans des locaux mal aérés, des pièces aveugles, des arrière-cours sombres, des patios transformés, des atriums modifiés, des halls aménagés, des armées de Chinois, majoritairement sans-papiers, travaillaient nuit et jour à rembourser les dettes de leurs passeurs. À part le pétaradant jour du nouvel an chinois, ils ne connaissaient ni repos ni vacances. Les patrons chinois gagnaient beaucoup à avoir de tels employés modèles, top modèles même. Les coûts de production des habits à la mode étaient très bas dans un pays où les niveaux de vie et de consommation étaient élevés. Avoir dans Paris même de nombreux travailleurs qualifiés, sous-payés, non syndiqués et corvéables à volonté, cela s'appelait une délocalisation locale. Grande prouesse capitalistique pour des Chinois ! Ainsi, les fêtards du quartier de la Bastille étaient les rares privilégiés de France à pouvoir vomir leur trop-plein d'alcool devant les portes cochères passées par des ouvriers fabriquant les fringues empuanties de fumée dans lesquelles ils avaient trépidé, dansé, transpiré toute la nuit.

Le spectacle des fêtards défraîchis du petit matin, surtout le dimanche, faisait partie des moments de partage que Kassoum et Ossiri appréciaient le plus. Pour laisser la place à Zandro, le physionomiste de la Chapelle des Lombards, un des night-clubs les plus courus de Bastille, ils étaient obligés de se réveiller aux aurores et de quitter le petit studio qu'ils avaient naturellement surnommé «la Chapelle» parce qu'il était juste au-dessus de la boîte de nuit. Comme ils n'avaient pas tous les jours du travail et ne savaient pas toujours où aller si tôt le matin, ils finissaient la nuit avec les derniers fêtards. Ossiri et Kassoum étaient frais et lucides. Les festoyeurs attardés étaient fatigués, ivres et/ou drogués. Kassoum, dans ses vieux réflexes d'enfant du ghetto de Treichville[1], ne pouvait pas s'empêcher de penser que tous ces dandys dandinants étaient des proies faciles à alléger de quelques bijoux et monnaie de la soirée. Il en avait une grande expérience abidjanaise. Mais cet Ossiri semblait deviner toutes ses pensées et un seul de ses regards le recadrait. «*Laisse le travail des vautours aux vautours*», il lui disait sou-

---

1. Quartier populaire d'Abidjan.

vent. Alors Kassoum se contentait de la place de premier choix qu'ils avaient pour contempler et rire du cirque parisiens-et-banlieusards en fin de soirée. Et même le jour où cette fille totalement ivre lui avait plongé dessus en criant « *Take me ! Take me !* », Ossiri était resté inflexible. Pourtant, son sac à main entrouvert bâillait sur une liasse de billets bleus de 20 euros qui semblaient crier à Kassoum de leur accorder un asile plus serein dans ses poches à lui. Il n'avait pas vu une seule pièce d'euro depuis une semaine et ce sac entrouvert, même Fologo, le voleur à la tire le plus maladroit de tout le Colosse à Treichville, pouvait l'alléger sans attirer l'attention.

— *Kass, laisse le travail des vautours aux vautours.* (Ossiri)

— *Take me ! Take me !* (La fille)

— *Mais là vraiment, c'est abusé, elle se livre elle-même. Sur ballon qui vient de l'adversaire, y a pas hors jeu, Ossiri.* (Kass)

— *Take me ! Take me !*

— *Qu'est-ce qu'elle raconte ?*

— *Elle dit de la prendre.*

— *Je te jure qu'elle me nargue.*

— *Tu la touches, tu ne me connais plus.*

— *Take me ! Take me !*

— *Espèce de fils de riche !*

« *Espèce de fils de riche !* » était la phrase de capitulation de Kassoum chaque fois qu'ils s'opposaient sur la manière de gagner sa vie en temps difficiles. Quand la fille s'était mise à vomir sur son blouson d'abord, puis sur ses chaussures, Kassoum avait décidé de « réveiller le ghetto en lui » pour balancer à cette ivrogne un python, un coup de tête vif, bien placé et bien senti, « un gaillard coup-tête », un de ceux qui avaient fait sa réputation et qui faisaient que tout le Colosse redoutait les corps à corps contre lui. « *Ossiri, j'ai dormi au ghetto pendant des années et des années. Maintenant, c'est le ghetto qui dort en moi.* »

Mais quelque chose dans les yeux de cette fille retint son coup et le coup refusa de partir. Kassoum ne savait pas trop pourquoi. La détresse, peut-être. Une détresse qu'il avait si souvent lue dans les yeux de ses voisins du Colosse qui ne savaient pas comment entamer une journée d'avance identique en misère à celle de la veille. Ou alors c'était le vert clair dans les pupilles de la fille. A-t-on idée d'avoir les yeux verts ? Dans les contes de son enfance, certains monstres étaient décrits avec des yeux verts, des yeux couleur forêt profonde. Kassoum n'avait jamais vu d'aussi près des yeux d'une telle couleur. Son trouble devait être visible.

Derrière lui, Ossiri poussa son avantage jusqu'à lui dire de la coucher à la « Chapelle » et de veiller sur elle le temps qu'elle retrouvât ses esprits. Zandro ne dirait rien et ne verrait même sûrement rien. Il était toujours trop harassé par sa nuit à gérer les violents, les hystériques, les pickpockets, les ivres, les resquilleurs, les outrés, les paranoïaques, les dépressifs, les dealers, les junkies et tous les excités qui se croyaient les plus forts du monde après un rail de cocaïne ou quelques cachets d'ecstasy. Kassoum porta seul la fille dans l'étroite cage d'escalier. Ses longs cheveux blonds tombaient sur des épaules de judoka et, même ratatinée par l'ébriété, elle lui rendait une tête. Celle-là devait être une descendante des Blancs des tribus du Grand Nord froid et glacial. Ceux qui envahissaient régulièrement les côtes plus australes de l'Europe en essaimant terreur, chaos et spermatozoïdes. Ossiri ne l'aida point sous prétexte que même à Bastille, ce serait suspect de voir deux hommes noirs transporter une femme blanche presque évanouie dans une rue sombre et déserte. Il n'avait pas tort mais comme souvent, il poussait beaucoup trop loin sa raison. *«Ici, la délation est un sport devenu institution nationale depuis la Deuxième Guerre mondiale. Quand les Allemands tenaient le pays, les gens dénonçaient les juifs et les résistants. Quand les Alliés ont remporté la victoire, les gens dénonçaient les traîtres et les collabos. Ici, il y a toujours des délateurs et des gens à dénoncer»*, avait péremptoirement conclu Ossiri. Mais Kassoum ne l'écoutait déjà plus. Comme une panthère montant une biche trop lourde à un arbre afin de la soustraire à la convoitise charognarde d'un troupeau de hyènes, il bringuebala la gaillarde fille jusqu'à « la Chapelle ». C'est comme ça que Kassoum connut Amélie, normande et professeur d'anglais dans un collège de la banlieue ouest parisienne...

Le parvis de la mairie du XIe donne sur un rond-point où la circulation est distribuée entre l'avenue Parmentier, le boulevard Voltaire, la rue de la Roquette et l'avenue Ledru-Rollin. Le vélo d'Ossiri passe le feu rouge et se faufile pour rejoindre le Ledru-Rollin. Au croisement avec la rue du Faubourg-Saint-Antoine, il y a le Monoprix. Tantie Odette y est chef de rayon depuis deux ans. Elle y a d'abord été caissière pendant vingt-huit ans. Il y a trente ans, quand son mari l'a fait venir de son village des confins forestiers de l'ouest de la Côte-d'Ivoire, elle savait juste lire et écrire et n'avait jamais vu d'humains d'un genre autre que celui qui courait depuis des millénaires sous les lianes des grands arbres d'Issia. Elle en avait vu et appris, des choses, dans son Monoprix. Mais quand même, vingt-huit ans pour se lever de la chaise de la caisse... Promotion à vitesse mélaninée ? Elle ne se pose plus ce genre de questions. Elle est à deux ans de la retraite. Depuis deux semaines qu'Ossiri est en poste à Camaïeu Bastille, l'arrêt à ce Monoprix est un peu un rituel. Tantie Odette lui propose un café. Il accepte. Ils vont dans la salle de pause. Il lui demande des nouvelles de Ferdinand. Elle les donne dans des phrases sobres. Elle lui demande des nouvelles d'Angela. Il les invente dans des phrases lyriques mélangées à des nouvelles générales du pays. Elle rit. Elle rit beaucoup quand il lui parle. Puis il prend congé en disant qu'il va être en retard. Elle l'accompagne et dans les rayons, elle ne manque pas de le présenter comme son fils lorsqu'une vieille collègue des années 80 passe par là. Une bise et Ossiri détache son vélo du panneau «Interdiction de stationner». Camaïeu n'est plus loin. Il marche.

Soldes à Camaïeu

Les habituées

Acheter des habits comme si c'étaient des denrées périssables. Revenir chaque mois, chaque semaine, chaque jour, voire plusieurs fois par jour. Les habituées se reconnaissent facilement. Ce sont toujours les plus pressées. Elles savent ce qu'elles veulent. Elles ne restent jamais longtemps.

Psychédélique

Pour seule vision les spotlights pleins feux du faux plafond et les panneaux orange vif frappés du célèbre signe « % » des soldes. Couché sur le dos dans une poussette, un bébé éveillé fait sa première expérience psychédélique pendant que sa mère fait les soldes.

Sac à main

Dans un magasin d'habits pour femmes, une femme qui a un sac n'a aucune raison de s'attarder sur le ridicule petit rayon des horribles sacs à main… à moins de vouloir camoufler un vol. Dans son sac, elle fourre son larcin. Dans celui du magasin, elle fourre les antivols qu'elle a pris soin de couper à la tenaille quand elle était dans les cabines d'essayage. Échange de marchandises inéquitable.

Loi du sac à main

Dans un magasin d'habits pour femmes, toutes les femmes sont attachées à leurs sacs à main, surtout les voleuses.

Axiome de Camaïeu

Dans un magasin d'habits, un client qui n'a pas de sac est un client qui ne volera pas.

Radio Camaïeu

C'est la musique diffusée à longueur de journée dans le magasin. Avec Radio Camaïeu, en moyenne sur 10 chansons, 7 sont chantées par des femmes, 2 en duo avec un homme, une seule par un homme. À raison de 3 minutes par chanson, soit 20 chansons à l'heure, le vigile tourne à

120 horreurs sonores en 6 heures de vacation. La pause est une grande avancée syndicale.

Fesses droites

Bien qu'on puisse en dégager quelques grands groupes, la forme des fesses est aussi unique qu'une empreinte digitale. Quand le vigile se met à penser à ce qui se passerait dans les commissariats si c'était ce système d'identification qui avait été choisi par les pouvoirs publics.

Fesses gauches

Les Africaines prennent rarement autre chose que des hauts à cause de leur anatomie callipyge. Les pantalons et autres shorts sont fabriqués sur les mensurations moyennes de la femme blanche, naturellement plate, par des ouvrières chinoises, naturellement très plates.

En Chine, il paraît que le mot «fesse» n'existe pas. Là-bas, on dit «bas du dos». On ne peut inventer un mot pour une partie du corps qui n'existe pas.

Chinois

Avec la quantité énorme d'habits fabriqués au pays de Mao, on peut dire qu'un Chinois dans un magasin de fringues, c'est un retour à l'envoyeur.

Dialogue

— *Pourquoi tu tournes autour de moi comme ça ?* (L'homme.)

— *Oui, vous tournez autour de nous ! Ça stresse, là !* (La femme.)

— *Je suis désolé, je ne tournais pas autour de vous. Pas autour de vous en particulier.* (Le vigile.)

— *C'est faux ! Regarde dans la poussette, y a rien. Tourne autour des Français là-bas, plutôt. Pas autour de nous.*

— *Vous êtes paranoïaque, monsieur.*

— *Quoi ?*

— *Vous êtes pa-ra-no-ïaque.*

— *Non ! Moi, je suis algérien.*

Antivols, Étiquettes et Cabines d'essayage

Pieds nus, des femmes habillées dans les tenues qu'elles veulent acheter sortent régulièrement des cabines d'essayage, à la recherche d'une taille ou d'un coloris différents. Les habits qu'elles essayent sont évidemment bardés de diverses étiquettes et de pastilles antivol qui sont de larges cercles de plastique gris en forme de soucoupes volantes, cloués à même l'étoffe.

• *Pour les robes sans manches :* une étiquette pend sous les aisselles, un antivol est plaqué sur la fesse droite, le prix est dans le dos.

• *Pour les pantalons :* une étiquette sur la hanche droite, une autre sur la cuisse gauche à côté de la démarque (–50 % par exemple) qui est sur un long ruban translucide collé au tissu. Le prix est sur la hanche gauche et, parfois, une étiquette supplémentaire de « recommandations de lavage » est pendue à un ceinturon arrière et se balance sur la raie des fesses.

• *Pour les blousons et chemises :* la démarque est un galon sur l'épaule gauche, une étiquette est collée sur la manche gauche, le prix sort du ventre.

Cela donne, pour une femme qui essaye un jean *Carlita* et un haut *Tolérant* :

• 24,95 euros, soldés à –50 %, prix des jambes et des fesses.

• 14,95 euros, soldés à –30 %, prix des seins et du tronc.

Soit un total soldé de 17 euros et 45 centimes pour l'emballage de l'ensemble des caractères sexuels secondaires.

Grosses

Souvent, les femmes grosses commencent d'abord par essayer des habits plus petits... avant de disparaître discrètement avec la bonne taille dans les cabines d'essayage.

La réserve

Dans la réserve, il y a des toilettes, des casiers métalliques personnalisés, un frigidaire, un four à micro-ondes, et surtout un tableau de communication interne sur lequel on peut lire : « Semaine Difficile que du négatif CA + Indicateur + 9,91 % = PRIME ☺ On reste mobilisé ! » (Ponctuation et dessin respectés.)

Pti haut trop mignon

« *Trop mignon ce pti haut.* » C'est l'une des phrases les plus utilisées pour qualifier les hauts vendus dans la boutique. Elle est prononcée toujours la tête baissée pour coincer avec le menton le « pti haut » incriminé à la base du cou, en clignant des yeux et en le tenant bien déployé sur la poitrine. La présence d'une interlocutrice admirative est en option.

Gauloises tropiquettes

Ces jeunes filles noires très coquettes qui passent des heures dans le magasin à parler d'habits alors qu'elles sont en train d'en acheter. Un peu comme tous ces Français qui parlent de nourriture à table. Le sang est dans la culture, pas sur la peau, bon sang !

Métamorphoses capillaires

Fatima, la responsable du magasin, a perdu les belles bouclettes noires de sa chevelure de Maghrébine qu'elle avait la semaine dernière. Maintenant, elle a les cheveux aussi raides et blonds qu'une femme viking.

On n'a jamais vu les beaux cheveux crépus de Christiane, la vendeuse noire. Elle porte un long tissage synthétique de grandes boucles noires qui lui tombent au milieu du dos.

Le pétrole et l'alpha-kératine

En deux semaines de vigie, aucune femme noire n'est entrée dans le magasin avec ses cheveux naturels sur la tête. Elles portent toutes des perruques, des mèches, des tissages ou des rajouts qui sont faits de fibres synthétiques issues de l'industrie pétrolière. Le pétrole, source d'énergie périplanétaire, vient de la décomposition, dans les couches géologiques inférieures, de toutes les matières organiques préhistoriques accumulées au fil du temps. Les femmes noires ont de l'énergie fossile sur la tête.

Le vigile aperçoit une femme noire avec une longue et volumineuse crinière bouclée qui lui tombe jusqu'au-dessous des fesses. Pour la coiffer de la sorte, il a fallu que pourrisse au minimum une tribu entière de tyrannosaures.

Théorie du désir capillaire

Les désirs capillaires contaminent de proche en proche en direction du nord : la Beurette, au sud de la Viking, désire les cheveux raides et blonds de la Viking ; la Tropiquette, au sud de la Beurette, veut les cheveux bouclés de la Beurette.

FBBB

Femme Bété à Bébés Blancs. Le vigile reconnaît du premier coup d'œil les « Femmes Bété à Bébés Blancs ». Ce sont des femmes originaires de Côte-d'Ivoire, précisément de la région de Gagnoa. En France, elles sont presque toutes « gardes d'enfants ».

Garde d'enfants

Un terme martial bien choisi pour désigner les nounous de ces enfants occidentaux mi-rois, mi-prisonniers.

FBBB traditionnelle

Le vigile est frappé par une image délirante dans laquelle il voit une FBBB entrer dans le magasin, les seins nus et ceinte de l'antique jupe tressée dans les nervures de feuilles de raphia. Mais vite revient la réalité. Devant elle, une poussette biplace dans laquelle dorment deux blondinets angéliques. La FBBB porte un « pti haut trop mignon » en polyamide et un vieux jean élimé.

Dialogue FBBB

— *Moi, je n'achète pas les jeans wôrô-wôrô*[1] *qui vont se gâter vite là !* (FBBB 1 en regardant avec mépris un jean « stone washed ».) — *Tu as raison, ma sœur. Qu'est-ce que ça veut dire de faire des trous dans les jeans avant même qu'on les achète ? Tchrrrr*[2] *!* (approuve FBBB 2).

Vocabulaire

Dans le milieu des Ivoiriens en France, le métier de vigile est tellement ancré qu'il a généré une terminologie spécifique et toujours teintée des expressions colorées du langage populaire abidjanais, le nouchi.

Debout-payé : désigne l'ensemble des métiers où il faut rester debout pour gagner sa pitance.

Zagoli : désigne le vigile lui-même. Zagoli Golié est le nom d'un célèbre gardien de but des Éléphants, l'équipe nationale de football de Côte-d'Ivoire. Être vigile, c'est comme être gar-

---

1. Taxis communs d'Abidjan, complètement déglingués et toujours en panne.
2. Son caractéristique que sifflent les Africains entre les lèvres et les dents serrées pour marquer le dégoût.

dien de but : on reste debout à regarder jouer les autres, et, de temps en temps, on plonge pour attraper la baballe.

Soufè-wourou : littéralement « chien de nuit » en malinké. Le terme désigne les « maîtres-chiens », les « agents de sécurité conducteurs de chiens » comme on dit dans la terminologie administrative. Bien que largement mieux payés, les « soufè-wourou » sont beaucoup moins nombreux que les « zagoli » dans les milieux africains.

En Afrique sahélienne comme en Afrique subsaharienne, traditionnellement, à part les « dozos », une caste de chasseurs habillés comme des épouvantails, les canidés ne sont considérés qu'à travers des expressions telles que « chien galeux », « chien bâtard », « chien méchant »... Il y a très peu de nuances quant à la place qu'ils peuvent occuper dans la société des hommes.

La notion du chien, meilleur ami de l'homme, est une *occidentalité* encore trop récente. De sorte que se résoudre à avoir un chien comme compagnon de vie et partenaire de travail est un obstacle psychologique et culturel très difficile à surmonter quand on a grandi dans le mépris ou la peur des chiens plus ou moins galeux ou enragés qui errent efflanqués dans les villes africaines. Et puis avoir un chien, le nourrir, le dresser et l'entretenir est un investissement financier de départ non négligeable quand on n'a ni papiers ni travail.

Et si, pour travailler, il faut en avoir un, on peut dire que le chien se mord la queue. Les Ivoiriens ont conclu : « *Zagoli est mieux !* »

Radio Camaïeu 2

> *I like your body*
> *So shake your booty*
> *Let's get it on*
> *And keep on pushing…*

Un grand nombre de chanteuses « neo soul » anglaises, américaines ou françaises (pour les pires) braillent des paroles indigentes dans des soupes fades en version diluée de la torturée mais incroyable Amy Winehouse.

Du vivant même d'Aretha Franklin, comment peut-on laisser sévir toutes ces sous-chanteuses et dire qu'elles font de la « soul » ? On n'a même plus ni le temps, ni la décence de permettre à des morts illustres de se retourner dans leur tombe. Désormais, on les outrage de leur vivant.

Flower power

Laura et Rosa, deux joyeuses vendeuses antillaises au nom de fleur. De temps en temps, elles improvisent de gracieux pas de danse sur les airs de Radio Camaïeu. Leur déhanché possède le don de toujours mettre le sourire sur les lèvres de tous les employés du magasin, et la magie d'atténuer, le temps de quelques mesures, le manque de talent des brailleuses à la besogne dans les enceintes acoustiques.

Première théorie génique de l'Antillais

Couleur de peau, couleur des yeux, aspect des cheveux, forme du nez, de la bouche, des fesses… Dans le physique des Antillais, il y a toujours au minimum un trait qui rappelle que le maître blanc, le Béké, ne maniait pas que le fouet avec ses esclaves femmes. Peut-être doit-on dire «femelles» pour respecter le langage de l'époque.

Deuxième théorie génique de l'Antillais

Du temps de l'esclavage, il était rarissime, voire impossible que l'esclave noir mâle se reproduise avec la maîtresse blanche. Ce sont donc les maîtres blancs qui, avec les femmes noires, ont métissé les Antilles. Comme c'est l'homme qui donne le sexe de l'enfant mâle avec son chromosome Y, on peut affirmer que tous les hommes métis antillais portent avec certitude un chromosome Y d'origine caucasienne.

Énoncé de la théorie : aux Antilles, l'homme est blanc, la femme est noire.

Les bébés

D'abord un rien intrigués, les bébés finissent toujours par rendre le sourire du vigile.

Le vigile adore les bébés. Peut-être parce que les bébés ne volent pas.

Les bébés adorent le vigile. Peut-être parce qu'il ne traîne pas les bébés aux soldes.

English Version

Du fait de l'affluence de touristes étrangers, les sacs de courses de nombreuses boutiques traduisent en anglais le mot « soldes ». Ainsi lit-on en grands caractères sur les sacs de la boutique Lacoste voisine : SALES. Le collègue vigile du magasin mitoyen parle de familles françaises qui refusent de prendre ces sacs. Il semble qu'ils ne veulent prêter le flanc à aucune confusion de langue ayant pour répercussion de mauvaises idées sur leur hygiène corporelle.

Les moustachues

Une mère et sa fille, très ressemblantes, portent toutes les deux une fine moustache bien visible. La fille, encore adolescente, tire la gueule et dégage une grande impression de mal de vivre. La mère, la cinquantaine, quoique un peu sombre, semble plus épanouie. Elle qui porte depuis des décennies cette pilosité inhabituelle chez la femme, probablement depuis l'âge actuel de sa fille, elle a largement eu le temps d'assumer ou de faire avec. La fille a encore des années de mou à tirer.

La mère et la fille moustachues sont venues une deuxième fois. Elles sont facilement reconnaissables. Le vigile leur lance un « bonjour » saupoudré d'un grand sourire dans le maigre espoir de les dérider. La mère ne répond pas et ne prend même pas le temps de se retourner. La fille jette un œil noir au vigile.

Théorie de la moustache

Hitler, Staline, Pinochet, Bongo, Saddam Hussein… Autant chez le dictateur la moustache est signe extérieur d'épanouissement personnel, chez la femme, surtout adolescente, la moustache est source de mal-être.

Bientôt héritière

Après plus d'une heure à tourner dans le magasin sans finalement rien prendre, une femme s'adresse à une très vieille dame courbée sur sa canne : — *Maman, allons en face chez New Look, il y a une nouvelle démarque.*

Dans la chaleur caniculaire de l'été, la vieille dame, visiblement exténuée, bouche ouverte mais sans broncher, suit péniblement sa fille.

Transformées de Laplace

Comment en arrive-t-on à penser aux « transformées de Laplace » en regardant une vieille femme aux cheveux teints en violet clair fouiller dans le rayon des *Gaby* 24,95 € soldés à −70 %, de laids gilets rayés beige caca d'oie ?

Tatouages

Sur le cou, son tatouage aux traits fins et précis représente un lotus qui a le même graphisme que « Lotus », la marque de papier hygiénique. Avec sa peau très pâle, c'est un peu comme si elle avait un rouleau de PQ coincé entre la tête et les épaules.

Rétrovolution

Dans l'imaginaire populaire occidental, le piercing, les scarifications et les tatouages ont longtemps représenté la quintessence de la sauvagerie la plus reculée.

Aujourd'hui, que signifient toutes ces peaux blanches transpercées de partout ? Tous ces tatouages tribaux sur les corps ? Une mode ? Un mal-être ? La mode d'un mal-être ? Le mal-être d'une mode ? La volonté inconsciente de revenir à l'état rassurant du « sauvage innocent » ?

Révolution

Il est désormais reconnu qu'il n'y avait que sept prisonniers hagards enfermés à la Bastille le 14 juillet 1789. Autrement dit, il n'y avait presque personne à libérer. Mais l'Histoire retient plus les symboles que les faits. Si elle se répétait aujourd'hui, la prise de la Bastille libérerait des milliers de prisonniers de la consommation.

Transformées de Laplace 2

C'est une opération mathématique complexe inventée par le scientifique éponyme, qui permet de décrire les variations dans le temps de certaines fonctions. De nos jours, cette opération sert à faire du *pricing,* c'est-à-dire à fixer des prix. On utilise les «transformées de Laplace» par exemple pour trouver les démarques et les prix optimaux à appliquer pendant la période des soldes. Un truc si compliqué pour des choses si vaines.

iPhone

Une jeune fille essaie des lunettes et se mire avec son iPhone, fonction «Facetime». À côté d'elle, un grand miroir descend du plafond jusqu'au plancher.

Des filles essaient des tenues dans les cabines d'essayage, puis se photographient sous tous les angles avec leurs iPhone. Ensuite, c'est autour de l'écran qu'elles discutent de leurs choix. Le pixel a pris le pouvoir sur la rétine.

Christique

Un bras tendu vers les jupes *Langouste lin*, l'autre tendu vers les robes *Laure été*, une femme est à genoux au pied des jupettes *Victoire*. Amen.

Blasphème

Dans la penderie des fuseaux, une dizaine ne sont pas « Made in China ». Ils sont « Made in Turkey ». Presque en Europe !

L'ange

Place de la Bastille, l'Ange doré est toujours nu au-dessus de son obélisque. Les anges étant asexués, il pourrait s'habiller indifféremment chez Camaïeu ou chez Celio. Comment lui dire que ce sont les soldes ?

Dialogue

— *Ça fait combien avec −20 % de réduction, s'il vous plaît ?* (La femme en montrant une étiquette sur laquelle est marqué 29,99 €.)

— *Environ 6 euros, madame.* (Le vigile.)

— *Ah vous savez, il faut s'habiller, reprendre goût à la vie. On vient de perdre mon mari.*

— *...!*

— *Merci monsieur. Vous êtes gentil. Maintenant, on va à la caisse.*

L'adolescente dans le fauteuil

Une adolescente handicapée est dans un fauteuil roulant électrique. Elle est précédée de sa sœur, et suivie de sa mère et de son père. À l'arrière de son fauteuil, il y a une barre pour éventuellement la pousser. Dans la boutique, cette barre sert à accrocher les habits que sa sœur et elle choisissent frénétiquement. Au bout d'une heure, le fauteuil électrique ressemble à une penderie mobile Camaïeu.

Amoureux

Des amoureux s'embrassent goulûment dans le coin des *Jakarta*, longues robes aux couleurs vives qui dans cette penderie font penser aux rideaux d'un bordel. Sur Radio Camaïeu, Brick and Lace chantent *Love is wicked*.

Le mannequin

Baléar rayé en haut, pantalon *Martinique*,

Artémis aux pieds, une femme entre, déjà intégralement habillée en Camaïeu.

Hadès

Hadès, blouson 100 % cuir de croûte de porc. Un tel manteau est-il interdit aux musulmans et aux juifs ?

— Hadès, *le blouson Haram.* (Le grand mufti.)

— Hadès, *le blouson pas Casher.* (Le grand rabbin.)

— *«Moins 70 % » sur le blouson 100 % cuir de croûte de porc à 99,95 euros : blouson* Hadès, *la démarque de la tentation.* (Le grand vendeur.)

Définitions

98% Coton + 2 % Élasthanne = Jean Slim.
95% Coton + 5% Élasthanne = Fuseau
Pour être cool ou ringard, cela se joue à 3 % d'Élasthanne.

Noms d'habits

Mystic : haut.
Tolérant : haut.
Égypte bis : robe.
Rigolo : haut.
Jane : jean.

Tabata rayé : robe. Tabata était le pseudo d'une célèbre actrice porno des années 90.

Martinique : pantalon en lin blanc. Au temps de l'esclavage à la Martinique, les Békés portaient de tels pantalons sur les plantations de canne à sucre.

Toronto, Denver, San Francisco, Dakar : robes. Dans les rayons de Camaïeu, Dakar est à côté de San Francisco.

Jean

Un jean nommé *Jane*.

Les « nommeurs »

Avec toute cette littérature sur les vêtements, dans les organigrammes de Camaïeu, il existe des postes de « nommeurs » : spécialistes en baptême de robes et de pantalons en tout genre.

Les « nommeurs » 2

Quand le vigile s'imagine une séance de travail de trois « nommeurs ».

Ils sont assis autour d'une table, coupe de champagne en main, seau en argent rempli de caviar. Les habits défilent devant eux sur des cintres accrochés à une corde métallique entraînée par un moteur. Une robe à fleurs passe. Entre deux gorgées de « La Veuve Cliquot », un « nommeur » s'écrie d'un air sentencieux : « *Tu t'appelleras Hibiscus, qu'il en soit ainsi. Suivant !* » Les deux autres, le visage grave, opinent du chef, la bouche remplie d'œufs d'esturgeon. Une autre robe coulisse devant eux.

Virtuoses de la viscose

Colibri, *Langouste*, *Tapir*, respectivement à 92, 95 et 98 % de viscose… Plus la concentration en viscose est élevée, plus les « nommeurs » choisissent des animaux étranges pour baptiser les habits.

Radio Camaïeu 3

I like the way you shake your ass around me
I like the way you swing your lips around me…

Radio Camaïeu chante aux oreilles d'une vieille dame. Elle bouge doucement ses hanches, dodeline de la tête tout en fouillant dans les robes à –70 %, la plus grande démarque en date.

« % ». Telle une bite au milieu de ses gonades, le signe « % », frappé sur de nombreuses affichettes qui pendent du faux plafond, se balance au-dessus des têtes de toutes ces femmes excitées par les soldes.

Polymère

Polyester, polyamide, polyvinyle... sont de grosses molécules de synthèse à la base des fibres utilisées dans l'industrie textile. Les chimistes les appellent des «polymères».

Maternité éloignée et vie sexuelle déclinante, les femmes au-dessus de 50 ans sont très attirées par les habits en fibres de polyester, polyamide, polyvinyle. Le vigile les appelle les «polymères».

Cache-cache

Se méfier d'un vigile qui se fait chier ou en donne l'impression.

Pour faire passer le temps, il arrive que le vigile joue à cache-cache avec une voleuse.

Le vigile se cache de la voleuse pour la surprendre en flagrant délit. La voleuse se cache du vigile pour ne pas être surprise en flagrant délit.

Le temps fou qu'une voleuse perd pour tirer une chaussure de 20,95 € soldée à −30 % ! Après deux heures de cache-cache, si la voleuse réussit son larcin, il va lui falloir encore du temps pour le vendre, dans le meilleur des cas à environ la moitié de sa valeur. Avec les risques, le savoir-faire et en moyenne trois heures par article depuis le vol jusqu'à la revente, on peut dire que « voleuse chez Camaïeu » est une activité très peu lucrative.

Cache-cache 2

Cache-cache dans les penderies des grandes robes : le jeu favori des enfants agités.

L'adolescente dans le fauteuil 2

Le père aide l'adolescente handicapée à sortir de son fauteuil et à marcher jusqu'aux cabines d'essayage. Ces mains qui glissent sur ces corps, ces bras qui enlacent, s'entrelacent, étreignent, soutiennent… Il y a beaucoup de tendresse entre ce père et cette fille. Ils sont liés à la fois par l'amour filial et par la dépendance physique de la fille. Ces deux-là se soutiennent l'un l'autre, en réalité. La dépendance n'est pas toujours là où on l'imagine. Des êtres contraints de se toucher si souvent développent-ils une tendresse et une douceur au-dessus de la moyenne ? Serions-nous plus doux les uns envers les autres si nous nous touchions plus souvent ?

La femme aveugle

Accompagnée de son mari, de sa fille et de son chien, une femme aveugle fait les soldes.

L'homme lui parle tout le temps, à haute voix, dans un accent du sud, avec des phrases bien construites et très précises. Elle caresse longuement les étoffes pour faire son choix. Il la touche discrètement de temps en temps pour lui montrer la bonne direction. Encore des gens contraints de se toucher. Encore de l'interdépendance. Encore beaucoup de douceur. Le handicap de la femme est un facteur d'amélioration du langage de son entourage.

Mécanique du fauteuil de l'adolescente handicapée

- Deux roues motrices avant
- Moteur électrique
- Grosse batterie au lithium
- Deux roues directionnelles arrière
- Assise surmontée d'une coque vert fluorescent pour maintenir droit le dos
- Système ingénieux de rangements sur les côtés et sous le siège
- Joystick directionnel et mini-écran de contrôle à cristaux liquides sur l'accoudoir droit
- Quatre boutons en dessous du joystick dont un sur lequel est dessinée une trompette.

Le fauteuil du handicapé préfigure-t-il la voiture du futur ? On est loin de la planche à quatre roues des poliomyélites et des culs-de-jatte d'antan.

Biomécanique du vigile

Par quel paradoxe biomécanique le vigile a-t-il si mal au coccyx alors qu'il est debout toute la journée ?

Biologie du vigile

Ténesme impérieux... Une heure avant la pause, cette violente envie de pisser.

Multilingue

Sur un grand panneau au fond de la boutique, il est écrit : SALDI, ZL'AVY, SOLDEN, ARLESZALLITAS, WYPRZEDAZ, SLEVY, OCTAKИ, REDUCERI, PROMOTIONALE, REBAJAS... L'Europe se construit aussi dans la consommation.

Élisabeth

C'est une vendeuse à l'apparence anorexique qui doit répartir ses 35 kilos sur 1,70 mètre. Elle est très dynamique et ne manque jamais l'occasion d'appuyer des œillades et de jeter son plus beau sourire sur le vigile qui pèse environ 100 kilos. De l'attirance naturelle des pôles opposés.

Élisabeth 2

Avant de rentrer chez lui, le vigile distribue des Carambar® aux vendeuses du magasin. Élisabeth en aura deux.

Quand s'arrête la musique

19 h 30, quand s'arrête la musique…

Le bruit métallique des cintres qui coulissent sur les barres des penderies : les filles rangent. Les derniers clients dérangent. Avec des phrases polies mais fermes, le vigile doit les diriger vers les caisses tout en veillant à ce que ne rentre plus aucun nouveau client. C'est le grand écart final. À l'intérieur, il y a toujours quelqu'un qui jure sur ce qu'il a de plus cher qu'il n'en a plus que pour deux minutes. À la porte, il y a toujours quelqu'un qui jure sur ce qu'il a de plus cher qu'il n'en aura que pour deux minutes. Le vigile est toujours regardé avec mépris quand il ne cède pas à ces supplices des deux dernières minutes. On accepte toujours très mal de se faire rabrouer par ceux qu'on ne voit pas de la journée. Tout est en soldes, y compris l'amour-propre.

L'âge de bronze 1960-1980

En descendant le boulevard Vincent-Auriol en direction de la Seine, Ferdinand se disait qu'il en avait vraiment marre de ces hypocrites de « réunionnais ». C'est comme ça qu'il avait fini par surnommer les étudiants de la résidence. Ils convoquaient toujours des réunions à propos de tout et au sujet de n'importe quoi. Hier, c'était pour trouver « *l'action adéquate à mettre en place* » devant « *l'attitude inqualifiable de l'ambassade de Côte-d'Ivoire* » parce qu'elle avait arrêté la distribution gratuite du papier hygiénique dans la résidence. Au bout de trois heures de réunion, ils n'avaient toujours pas réussi à se mettre d'accord sur la « *motion de protestation* » à déposer 102, avenue Raymond-Poincaré, au bureau de l'ambassadeur à Paris. Le groupe des « communistes » disputait chaque virgule au groupe des « vendus de socialistes ». Les « libéralistes », ces « *agents provocateurs suppôts de l'impérialisme*

51

et du capital international», frôlaient le lynchage chaque fois qu'ils essayaient de prendre la parole. Quand après deux heures d'invectives et de postillons dans tous les sens, ils arrivèrent enfin au bout du premier paragraphe, les «communistes» commencèrent à se déchirer entre eux parce que «les Chinois» trouvaient «les Russes» bien trop timorés et que «les Albanais», qui ne pouvaient pas voir «les Chinois» en peinture, jugeaient «les Russes» méprisants et suffisants. Ce matin encore, personne ne savait quoi faire pour le papier hygiénique quand avait été convoquée une autre réunion. «*L'attitude des intellectuels africains devant les conséquences du choc pétrolier*» allait déchaîner les logorrhées et remplir les crachoirs durant toute la journée. Les coups de sifflet, signaux de convocation, se mirent à striduler juste avant le vieux réveil qui habituellement écourtait les nuits de Ferdinand. Cela tombait bien, il ne pouvait pas se permettre d'être en retard à son travail.

Ferdinand n'était pas étudiant. Il ne l'avait jamais été. Mais il vivait à la MECI[1], la Maison des étudiants de Côte-d'Ivoire à Paris. Il avait, en

_____

1. Boulevard Vincent-Auriol à Paris. À ne pas confondre avec le MEECI, Mouvement des élèves et étudiants de Côte-d'Ivoire. Il semble que les études soient sacrées dans ce pays.

quelque sorte, hérité de la chambre de son cousin André, rentré au pays quelques mois auparavant, son diplôme de docteur en médecine dans les valises. Ferdinand avait toujours su en son for intérieur qu'il ne pourrait jamais faire d'aussi longues et brillantes études que son cousin. Probablement ses instituteurs et ses propres parents aussi. Alors, quand il échoua pour la troisième fois à son CEPE, certificat d'études primaires et élémentaires, son père se laissa facilement convaincre de l'envoyer en France « se chercher ». Ferdinand jura sur le fétiche familial qu'il reviendrait seulement après être devenu un « grand quelqu'un ». Toute la récolte de café et de cacao passa dans l'achat d'un billet d'avion. Un matin mouillé par les ondées de la petite saison des pluies de début octobre 1973, Ferdinand prit un DC-10 aux couleurs vertes d'Air Afrique. Il devint le deuxième homme du village à partir en France.

André l'accueillit à la MECI dans la petite chambre d'étudiant qu'il partageait déjà avec Jean-Marie, étudiant en philosophie, « réunionnais » farouche et invétéré. Parce qu'il trouvait la bourse bien maigre pour à la fois vivre en France et envoyer de l'argent à sa nombreuse famille restée au pays, André exerçait à mi-temps un emploi de vigile aux Grands Moulins de Paris. Là-bas, un matin, à l'heure de la relève des équipes de nuit, il sauva in extremis de la crise cardiaque un vieil ouvrier qui s'était écroulé devant la guérite. La rumeur se répandit dans toute l'usine. «Le vigile noir là» avait sauvé la vie de Pierre-Alain Jacquinot alias Pierrot, le leader du tout-puissant syndicat de la CGT des Grands Moulins de Paris. Tout le monde sut alors que «le vigile noir là» ne s'appelait pas «gardien!» mais André; et qu'il menait en parallèle des études de médecine à la faculté Pierre et Marie Curie. Pour le plus grand nombre des ouvriers de l'usine, il n'y avait pas de grande différence entre étudiant en médecine et médecin. Ainsi, depuis ce jour, beaucoup d'entre eux se mirent à lui confier clandestinement leurs maux. La guérite n'avait jamais aussi bien porté son nom. Elle se transformait parfois en véritable cabinet de consultation. «Doc» devint le sobriquet naturel d'André. Pendant des années, il ouvrit et referma le portail de l'usine, autant de fois que les bouches des ouvriers. Souvent, il donnait des rendez-vous dans les hôpitaux où il exerçait. Ses camarades de stage à la Pitié-Salpêtrière étaient toujours surpris qu'autant de monde cherchât à le rencontrer et le saluât aussi chaleureusement dans les couloirs. Les ouvriers se sentaient proches de Doc, le «médecin africain». Peut-être juste une question de distance? Aux Grands Moulins, la guérite n'était pas loin de la grande halle, le bâtiment principal de l'usine ; par contre, le bureau officiel de la médecine du travail était niché au 5ᵉ étage, avec les bureaux des autres cadres supérieurs. Il est plus facile de rentrer dans une usine par le bas. Avec toutes ses « relations » dans le milieu ouvrier, André n'eut aucune difficulté à introduire son cousin et, deux jours seulement après son arrivée en France, Ferdinand travaillait déjà aux Grands Moulins.

« *Depuis bientôt deux ans, un avis d'expulsion plane sur la MECI.* » C'est André qui commença. Il venait d'apprendre la nouvelle. Une source sûre. Un vieil avocat qu'il avait soulagé de sa prostate lui avait certifié que depuis près de dix ans, l'immeuble du 150, boulevard Vincent-Auriol n'appartenait plus à la Côte-d'Ivoire. André préférait croire le vieux Blanc plutôt que les salmigondis servis par l'ambassade ivoirienne chaque fois que la rumeur se faisait persistante et qu'on posait la question.

« *Au début des années 60, Houphouët-Boigny a été pris d'une grave crise de complotite*, continua André avec cette manie qu'il avait de médicaliser tous ses discours. *Partout, dans tout, chez tout le monde, il voyait des complots visant à l'assassiner et à lui arracher le pouvoir qu'il chérissait tant.* » D'un geste vif, André leva son verre de bière à la bouche ; et quand il le posa, la moitié du liquide doré avait disparu dans le siphon de sa gorge.

« Ça a commencé fin 1959 par une complotite bénigne, quand il a révélé au grand jour le fameux "Complot du chat noir". Houphouët-Boigny cria au monde entier, sans rire une seule fois, qu'on avait voulu le marabouter avec un chat noir enterré dans un cimetière de la ville. On aurait même retrouvé une photo de lui cousue dans les tripes du pauvre félidé domestique. Au début, comme de vieilles hyènes repues de viandes avariées, on a rigolé. Il fallait voir la tête qu'il faisait, aussi. Moi, j'avais l'impression qu'il se forçait à ne pas pouffer de rire lorsqu'il racontait son histoire à toute la presse nationale et internationale. Surtout quand il en arrivait à la lecture des phrases cabalistiques écrites au dos de la photo retrouvée dans les entrailles du chat noir. Mais le bonhomme était très sérieux. Il lâcha dans la ville une brigade de police spécialement entraînée à parer les mauvais sorts et les maraboutages malfaisants. Elle arrêta très vite tous ceux qui étaient censés avoir ourdi la conspiration occulte. Mon vieil ami Jean-Baptiste Mockey fut accusé d'être le préparateur en chef de la formule mystique. C'est vrai qu'il était pharmacien, mais c'est surtout qu'au sein du parti, il commençait à faire de l'ombre au pouvoir du grand chef Boigny. On l'enferma dans les sous-sols de la présidence, juste en dessous du bureau du président. Heureuse-

ment que j'étais en France à ce moment-là, sinon j'aurais goûté de la prison comme Jean-Baptiste et tous ceux qui le soutenaient dans les critiques acerbes de l'attitude embourgeoisée de la vieille garde du parti. »

André fit une pause pour engloutir le reste de sa bière et en commanda aussitôt une autre. Angela Yohou avait le regard plongé dans sa tasse de thé. Du coin de l'œil, Ferdinand l'épiait de temps en temps, tout en essayant de se donner l'air le plus concentré possible devant un André survolté.

« *Et puis en janvier 1963, quand son ami Sylvanus Olympio, président du Togo, s'est fait trucider par un jeune militaire brutal appelé Eyadéma, la complotite de Houphouët-Boigny est devenue aiguë et s'est transformée en une infection suppurante. L'image du corps du pauvre Sylvanus en simple short, étalé dans la cour de l'ambassade des États-Unis à Lomé, le torse nu percé de multiples trous de balles, avait été un facteur traumatique aggravant. Quelques jours à peine après le drame togolais, Houphouët prétendit avoir déjoué le "Complot des jeunes". Conséquence: tout ce qui avait autour de 30 ans et qui était déjà un cadre prometteur du pays fut mis aux arrêts. Il les embastilla à Assabou, près de son village. Houphouët-Boigny s'y était fait construire une prison* pour veiller personnellement, lui et sa vieille sœur Faitai, sur ses ennemis enfin démasqués par son armada de fétiches, ses indics zélés, et les nombreux conseillers militaires français qui le protégeaient.

« Au mois d'août de la même année, une révolution populaire surnommée "Les troix Glorieuses" chassa en trois jours l'abbé Fulbert Youlou, prêtre défroqué et président autoritaire du Congo-Brazzaville. Dans l'Afrique indépendante d'à peine trois ans, il y avait déjà eu des coups d'État militaires. Mais c'était la première fois qu'un soulèvement populaire enlevait un des pères de l'indépendance. La rue mit au pouvoir Marien Ngouabi, un ancien compagnon de lutte du défroqué. Quand il eut écho de cette nouvelle, la complotite d'Houphouët-Boigny atteignit le stade de la gangrène. Cette fois-là, il s'inventa le "Complot des anciens". Une nouvelle fournée de cadres compétents et expérimentés, souvent ses propres camarades d'âge et de lutte, emplirent ses geôles privées d'Assabou. Ernest Boka, ex-président de la Cour suprême, y perdit la vie, pendu à la chasse d'eau des toilettes. Suicide, selon la police. Assassinat, selon les opposants. C'est pendant cette période que Houphouët ordonna de vendre à un de ses amis, promoteur immobilier, l'immeuble du 150, boulevard Vincent-Auriol. Pour lui désormais, il n'y a plus d'étudiants ivoiriens à la MECI.

Il considère ce lieu comme un repaire de dangereux comploteurs, de communistes attardés et de pseudo-révolutionnaires aigris et embrigadés par les services secrets des pays de l'Est. Avec les deniers de l'État, c'est-à-dire ses propres deniers, ou ses propres deniers, c'est-à-dire les deniers de l'État, il n'est pas question que lui, le grand Houphouët-Boigny, entretienne des agitateurs fainéants qui en veulent à son pouvoir. La MECI, c'est fini. Ils vont virer tout le monde.»

Même si parfois Ferdinand avait du mal à le suivre, il aimait beaucoup comme son cousin lui parlait… comme à un égal. Il en éprouvait de la fierté et cela revigorait une confiance en lui-même qui n'était pas toujours très grande. Dans la résidence, seuls André et Angela lui parlaient comme cela. Les autres ne daignaient même pas lui répondre quand la curiosité lui prenait de poser des questions sur les incompréhensibles théories qu'ils échafaudaient à longueur de journée.

Quand André finit son discours, Angela, dans un geste d'une troublante tendresse, prit les deux mains de Ferdinand et, le fixant droit dans les yeux, elle lui parla de la voix si passionnée et chaleureuse qu'il lui connaissait.

«Ferdinand, tu vas rester seul ici. Je rentre à Abidjan dans le même avion qu'André. Je ne veux

pas que mon enfant vienne au jour ici, loin des siens, loin de nos ancêtres. Je ne veux pas faire comme toutes les autres qui veulent que leurs enfants naissent ici pour qu'à leur majorité, ils obtiennent un passeport français : droit du sol. Ce sol-là, ils ne devraient en avoir rien à foutre quand leur sol à eux, le sol de leurs ancêtres, est aux mains de ces mêmes Français et de leurs valets africains. Après sa thèse, Aké nous suivra s'il le veut. Moi, je m'en vais. Mais toi, je sais que tu veux rester ici et je trouve ça bien parce que tu en as fait le choix. Un choix de vie. Tu n'es pas un hypocrite comme les autres de la résidence. Tu es quelqu'un de bien. N'oublie jamais ta nature profonde, ta nature africaine, ta nature courageuse et solidaire. Travaille dur, mets de l'argent de côté. Dès que tu auras suffisamment d'économies, quitte la MECI, le plus tôt possible, et fais venir ta fiancée Odette. »

Au bas du boulevard Vincent-Auriol, l'immense hôpital de la Pitié-Salpêtrière se trouvait sur la gauche. Ferdinand admirait le courage qu'il avait fallu à son cousin André pour alterner entre la garde des malades et la garde des Moulins. Il marchait lentement en se disant qu'il avait beaucoup de chance de ne pas être obligé de prendre le métro pour aller au turbin. Ce n'était pas du tout naturel de s'enterrer pour se déplacer. Dans son village, les seuls hommes qui partaient sous terre étaient les morts et les mauvais esprits. Tchétchet Ghéhi Lagô Tapê, le père de tous les dieux, avait abandonné ce territoire à son méchant cousin Digbeu Téti Gazoa, le maître des ténèbres. Toute son enfance, Ferdinand avait entendu des histoires terrifiantes sur Koudouhou, le royaume des morts, le ventre purulent de la terre, l'antre diabolique de Gazoa. En proie à une crise de panique la première fois qu'il le prit, il ne pouvait pas s'empêcher de réprimer un fugitif frisson chaque fois que des escaliers le descendaient dans les entrailles du métro. Ferdinand goûtait donc particulièrement la balade à pied qui le menait à ses Moulins. C'était toujours le même itinéraire. Ses pieds pouvaient faire le chemin tout seuls pendant que sa tête se perdait dans les souvenirs et les réflexions. Se remémorant cette théâtrale mais émouvante scène d'au revoir, Ferdinand se dit que s'il avait été Blanc, ce jour-là, ses joues seraient passées par toutes les nuances du rouge. André et Angela lui manquaient beaucoup.

À la résidence, il y avait de plus en plus d'« illégitimes » comme Ferdinand. Mécaniquement, il y avait donc de moins en moins de « vrais » étudiants. En échec universitaire depuis des années, tous ces « réunionnais » prompts à donner de grandes leçons de morale au monde entier s'accrochaient à leurs chambres autant que les «*chiens de capitalistes*» s'accrochaient à «*leurs fortunes colossales amassées sur l'échine courbée des masses populaires travailleuses*», pour parler comme Jean-Marie. Les anciens de la résidence, plus personne ne se souvenait quelles études ils étaient venus faire en France. Mais en tout cas, pensait Ferdinand, ils étaient sacrément bons en économie et business en tout genre. Entre autres, ils avaient monté un prospère trafic de sous-location de chambres; une raison pour laquelle la population de la MECI était devenue de plus en plus pléthorique et hétéroclite. Tensions et frictions entre «légitimes» et «illégitimes», «loueurs» et «locataires» étaient devenues courantes. L'ambiance dans la résidence était aussi délétère que dans cette France du début de l'été 1974.

La France qu'il avait connue il y a neuf mois seulement avait changé à la vitesse du jet qui le posa à l'aéroport flambant neuf de Roissy baptisé au nom de Charles de Gaulle, l'homme blanc le plus célèbre de toutes les brousses d'Afrique francophone. C'était «La Crise». Une grave crise dont les premières manifestations se voyaient dans la frénésie et la fréquence sans précédent avec lesquelles politiques et journalistes de toute la Gaule prononçaient le groupe nominal «La

Crise». Dès qu'un micro était tendu, dès qu'une caméra enroulait sa bande, dès qu'un bout de papier dressait le blanc de sa cellulose, on parlait de «La Crise».

«La Crise» avait commencé exactement une semaine après l'arrivée de Ferdinand. Les pays arabes de l'OPEP annoncèrent qu'ils ne vendraient plus leur pétrole à qui que ce soit. Ils disaient préférer que l'or noir pourrisse sous les pieds de leurs dromadaires plutôt que de le brader au prix d'un régime de dattes sèches alors même que tout le monde en connaissait la grande importance. Panique en Occident.

«En pensant à toutes leurs usines, leurs centrales thermiques, leur plastique, leurs voitures, leurs stations à essence, leurs habits, leurs perruques, leurs avions supersoniques, leurs fils à pêche, leurs canapés orange, leurs télés, etc., les Occidentaux, Américains en tête, ont pris peur. Une grande peur. La peur de ne plus avoir de frigidaire à la maison. Une très grande peur. Et comme souvent dans ces cas-là, les sphincters lâchent et boum… La Crise était née.»

Avec ses habituelles métaphores médicales, André avait longuement expliqué pourquoi et comment «La Crise» avait mis fin aux «Trente Glorieuses», trente ans de bonheur et de plein-emploi. Mais Ferdinand n'y comprit pas grand-chose. Lui, il avait toujours besoin de traduire les choses dans une réalité concrète. «La Crise» était responsable de nombreux malheurs que Ferdinand avait du mal à voir dans les belles rues de Paris qu'il adorait arpenter à pied. Il avait beau faire attention, les rues étaient toujours aussi propres et très bien balayées par les frères maliens; les cousins arabes continuaient de vibrer à longueur de journée sur les marteaux-piqueurs des nombreux chantiers essaimés partout et qui faisaient pousser les buildings à la vitesse de champignons les lendemains de pluie; les «Félix Potin» et les «Prisunic» étaient toujours remplis d'autant de victuailles et d'objets plus ou moins inutiles; et les rangs devant les caissières étaient toujours aussi longs; le compartiment fumeur du métro était toujours aussi bondé, bleu de fumée et de tenues d'usine; les panneaux publicitaires, intransigeants dans leurs appels à la consommation compulsive, étaient toujours les éléments décoratifs les plus en vue dans toute la ville... Non, Ferdinand n'arrivait pas à voir «La Crise» de ses propres yeux. Mais comme à son habitude, il avait fait semblant de comprendre les savantes explications d'André. En réalité, il n'avait retenu que «Trente Glorieuses». L'expression sonnait bien et lui faisait penser aux «Trois Glorieuses» des Congolais. Ferdinand se dit juste que les Français avaient fait durer leur bonheur beaucoup plus longtemps que les Congolais.

À la fin de « l'Auriol », Ferdinand prit sur la droite, quai François-Mauriac. La Seine était maintenant sur sa gauche. Ses flots tranquilles mais obscurs avaient un air aussi inquiétant que Gbô-kada, la rivière de son village. Il était interdit de se baigner dans la mare de Gbô-kada. De mauvais esprits y avaient pris un bail depuis le temps où Briba Mapê, le neveu du bon Dieu, les avait chassés du village des hommes. Au bout de quelques minutes de marche, le pont de Tolbiac montra son nez. Une péniche lui passait entre les minces jambes en traçant sur la Seine un sillon d'écume qui n'aurait sûrement pas plu aux mauvais génies locataires séculaires de la Gbô-kada s'ils avaient été là.

Pompidou, le président de la France, mourut quelques mois après le début de « La Crise ». On disait qu'il était malade, « le choc pétrolier » l'avait peut-être achevé. Tous les présidents d'Afrique francophone vinrent aux funérailles. À la cathédrale Notre-Dame, où un rite catholique fut organisé par la République laïque de France, Jean-Bedel Bokassa Ier, autoproclamé « Empereur » de la Centrafrique, pleura bruyamment toutes les larmes de son corps. Oui, cet homme qui avait tué sans ciller nombre de ses opposants, torturé et embastillé les plus chanceux d'entre eux dans des cachots immondes, cet homme-là pleura à tue-tête devant les caméras de télévision. On aurait cru qu'il venait de perdre son propre père. En pays Bété, on l'aurait félicité d'être un si bon pleureur et de savoir si bien manifester sa désolation. En pays Akan, on l'aurait houspillé car, là-bas, il était inconvenant de pleurer plus fort que la famille du défunt. Mais à Paris, l'unanimité se fit autour de l'attitude de Bokassa, et se résumait en un mot: «folie!» Les Africains de Paris s'indignèrent. La MECI s'outragea. Excessivement. Comme d'habitude, une réunion fut convoquée afin de rédiger une lettre de protestation et d'indignation à la représentation diplomatique centrafricaine. Les «réunionnais» décidèrent même de faire «*motion commune*» avec tous les autres étudiants africains de Paris. On allait voir ce qu'on allait voir. Les Ivoiriens furent choisis pour accueillir la grand-messe du «*rassemblement panafricain sur le cas Bokassa*». Après trois reports, la rencontre au sommet eut lieu un samedi d'avril. Du beau monde débarqua à la MECI.

Chaussures brillantes, pantalons ceinturés au niveau de la poitrine, vestes trop grandes, cravates trop longues étirées jusqu'à l'entrejambe, cous et doigts bardés de bijoux en or, peaux jaunes couleur de papaye, c'est-à-dire peaux noires décolorées à la cortisone, la MEC[1] envoya à la réunion ses plus grands sapeurs du moment. «*Parce qu'en toutes circonstances et en tous lieux, la Maison des étudiants du Congo, la MEC, le temple de la sapologie, se doit d'être toujours sapologiquement bien représentée*», avait sérieusement répondu un émissaire congolais quand quelqu'un lui demanda ironiquement si, avec ses compatriotes, ils venaient participer à un bal masqué et costumé. Au numéro 20 de la rue Béranger, dans le IIIe arrondissement, au milieu des boutiques de vêtements tenues par les commerçants juifs, à deux pas du grand Tati de la place de la République, la MEC était devenue le Vatican d'une religion nouvelle : la SAPE, Société des ambianceurs et des personnes élégantes. Des olibrius qui ne pouvaient pas placer la Sorbonne sur un plan de Paris dépensaient des fortunes en habits de luxe pendant que se dégradait en cloaque insalubre et puant l'immeuble dans lequel ils vivaient, un magnifique bâtiment haussmannien de cinq étages, que le contribuable congolais avait acheté pour offrir un certain confort à ses étudiants les plus brillants.

---

1. Maison des étudiants du Congo.

Des émissaires vinrent aussi du Ponia[1], la Maison des étudiants d'Afrique de l'Ouest. Le Ponia était planté sur les « Maréchaux », au début du boulevard Poniatowski, d'où son surnom. C'était un vestige de la grande Exposition coloniale de 1931. Des députés d'outre-mer, dont Léopold Sédar Senghor, député de France, poète de la négritude et président du Sénégal, y furent logés. Mais le Ponia, lui aussi, n'était plus qu'un immeuble décrépi à l'orée du bois de Vincennes. À cause de son prestigieux passé, ceux qui y vivaient se prenaient tous pour les prochains présidents-poètes de l'Afrique. Senghor n'avait-il pas séjourné entre ces murs désormais gonflés de l'humidité d'une plomberie dépassée ? Alors les Ponia avaient des tournures grammaticales, des formules emphatiques, des circonlocutions poétiques dont eux seuls connaissaient les usages et les règles.

Le soir du grand « *rassemblement panafricain sur le cas Bokassa* », Ferdinand fut heureux d'avoir passé la nuit dans sa guérite aux Grands Moulins plutôt que dans les couloirs de la MECI. L'usine tournait vingt-quatre heures sur vingt-quatre et lui, huit heures chaque jour, par-

---

1. Surnom donné à la Maison des étudiants d'Afrique de l'Ouest à Paris, située boulevard Poniatowski.

fois plus, il levait et baissait la barrière de l'entrée principale. Il notait aussi les numéros des plaques minéralogiques de toutes les voitures qui entraient ou sortaient du site. Il connaissait tout le monde maintenant. Mais beaucoup de gens, même les collègues qu'il remplaçait depuis bientôt neuf mois, continuaient à l'appeler «Doc», comme son cousin André. Jean-Marie, son collègue de chambrée, lui avait dit : «*Pour les Blancs, tous les Noirs se ressemblent.*» Les remarques de Jean-Marie, Ferdinand n'en avait plus rien à faire depuis longtemps. Il n'avait rien à faire des élucubrations d'un prétendu étudiant en philosophie à mi-temps, alcoolique à temps plein.

Cela ne le dérangeait pas de ressembler à son brillant cousin. Cela ne le gênait point qu'on le prît pour André, même s'il était conscient que c'était à cause d'un mélange de clichés racistes, de négligence et de paresse intellectuelle. Non, ce n'était pas une question de couleur de peau. L'attention qu'on ne lui accordait que fugitivement lorsqu'il devait soulever la barrière, il savait qu'elle était liée à sa condition de vigile. Pour lui, le plus important était ailleurs. Le plus important était désormais l'habit de la responsabilité nouvelle qu'il avait : les jolis souliers noirs, le bel uniforme bleu, et la casquette blanche à visière. Il se sentait important pour la première fois de sa vie. Pour la première fois de sa vie, il gagnait lui-même, par son propre travail, l'argent dont il avait besoin. Pour la première fois de sa vie, il n'attendait pas le bon vouloir d'un «frère», d'un «oncle», d'une «tante» ou de qui que ce soit d'autre de la «famille» pour faire ce qu'il avait envie de faire, partir où il voulait, manger ce qu'il voulait, quand il le voulait. Cette sensation d'indépendance! Ferdinand tiendrait la promesse faite à Angela. Il ne se perdrait pas. Il travaillerait dur. Maintenant qu'André était rentré au village, c'était de lui qu'on attendait les nouvelles de France. Le mois dernier, il avait posé dans sa tenue de vigile et envoyé une photo à Odette. L'image aurait fait le tour de toutes les familles du village, il paraît. Tout le monde pensait qu'il était devenu policier chez les Blancs.

Quai Panhard-et-Levassor, la façade ouest des Grands Moulins montrait son étrange coiffe de tuiles noires. Des derniers entrepôts de Bercy, des effluves de vin s'évadaient, s'alourdissaient avec l'humidité de la Seine qu'elles traversaient, et venaient taquiner de leur acrimonie les narines de Ferdinand. Il n'aimait pas cette odeur. Les élections qui suivirent la mort de Pompidou exhalèrent des relents aussi piquants et rances. À la course à la présidentielle se présentèrent dix hommes chauves, un homme borgne et une femme qui n'aurait pas été plus laide si elle avait été chauve et borgne. Ils avaient tous, bien évidemment, la solution pour sortir de «La Crise». Le grand slogan du moment: «*On n'a pas de pétrole, mais on a des idées.*» Une de ces idées-là était que les étrangers étaient devenus trop nombreux en France. Dans «La Crise», ils arrachaient désormais leur travail aux vrais Français et leur piquaient le bain de la douche ou le pain de la bouche. C'en était devenu intolérable, surtout de la part de gens qu'on avait gentiment invités pour partager le gros gâteau des Trente Glorieuses et du plein-emploi. Intolérable. Le pouvoir irait donc à celui qui trouverait la meilleure «idée» pour arrêter l'invasion de ces hordes d'étrangers ingrats. Le candidat chauve du centre parla de «préférence nationale». Cette «Idée» plut à beaucoup de Français, surtout au candidat borgne avec un œil d'extrême droite. Celui-là, plus tard, en ferait son cheval de bataille politique. Le candidat chauve de gauche parla d'humanisme et de cœur mais il fut facilement démasqué par le candidat chauve du centre qui, devant des millions de téléspectateurs ravis, lui répliqua sèchement qu'il n'en avait pas le monopole. D'ailleurs, grâce à Angela et André, Ferdinand savait que le candidat chauve de gauche avait été ministre des Colonies. Les survivants malgaches et camerounais de révoltes réprimées dans le sang se souvenaient encore de son sens de l'humanisme et du cœur. Ferdinand n'aimait vraiment pas les hypocrites et il fut content que le chauve de gauche se fît de la sorte moucher en public. Ainsi, au mois de mai, Giscard d'Estaing gagna les élections présidentielles. Il nomma comme ministre de l'Intérieur un certain Poniatowski qui, aussitôt, instaura une « carte de séjour » « contre » les étrangers et signa un décret interdisant les regroupements familiaux dès la fin de l'été suivant. Au Ponia, on parla de débaptiser le bâtiment. Le lien de parenté entre le ministre de Giscard et le Polonais Poniatowski, maréchal d'Empire de Napoléon, fut très vite relevé. Dans les chambres humides et les couloirs insalubres du Ponia, les lyrismes s'envolèrent, les belles phrases lévitèrent pour fustiger une décision scélérate prise par un descendant d'immigrés.

— *Si cet thomme est français zaujourd'hui, c'est parce que son parent polonais zest mort ten défendant la France. Certes, il a pris une balle lors de la bataille mais c'était dans le dos; ce qui veut dire qu'il battait ten retraître quand l'ennemi l'atteignit. Mais zavant de fuir ril défendait quand même la mère Frrance. Nous zaussi, nous zavons perdu nos pères sous l'étendard tri-bandes du coq qau vin. Nos parents zù nous zétaient vent debout, face au déluge de feu et de fer qui menaçait la mère patrie. C'est ten pleine poitrine qu'ils prirent les balles de l'ennemi, pour que vive la Frrrance séternelle,* lança, des trémolos Malraux dans la voix, un Ponia béninois obsédé des liaisons.

— *Plutôt deux fois qu'une !* approuva un Togolais dans l'assemblée.

— *Il ne faut jamais faire la sieste près de la maison d'un croque-mort qui vient tout juste d'apprendre à enterrer les morts. Contrairement à nous autres de Saint-Louis du Sénégal, ces gens-là, Poniatowski et autres, ils ne sont pas Français depuis bien longtemps, ce qui explique un tel zèle.* Cette déclaration d'un Ponia sénégalais déclencha des murmures d'approbation et beaucoup de mouvements de tête de haut en bas.

— *Un jour, un fils d'immigrés sera président de ce pays et je suis sûr que c'est lui qui chassera tous les étrangers,* prophétisa un Malien.

— *Poniatowski, pouah ! Quand on a un nom aussi imprononçable que celui d'un métis srilanko-azerbaïdjanais, on ne donne pas des leçons de francité aux enfants de Senghor,* chargea un voltaïque survolté.

Il y eut aussi des malédictions proférées en djerma, une langue du Niger. Selon la traduction

d'un voisin Haoussa, il était question de diar-
rhées hémorragiques et de testicules atrophiés
pour toute la descendance mâle des Poniatowski
jusqu'au jour où le fleuve Niger se mettrait à couler en direction des montagnes du Fouta-Djalon
plutôt que vers la mère Atlantique...

Malgré tous ces grands discours, au Ponia
comme partout ailleurs dans les Cités U noires
de Paris, personne ne rata son rendez-vous à la
préfecture en vue d'obtenir le nouveau sésame
de séjour. Ferdinand, lui, fut très étonné qu'un
homme politique tînt parole aussi vite. Les nouvelles lois régissant le séjour des étrangers furent
rapidement « très votées » par l'Assemblée nationale, c'est-à-dire par toutes les couleurs politiques confondues. Le « monopole du cœur »
avait frappé toute la classe politique. Ceux qui
ne remplissaient pas les nouvelles conditions de
séjour ne s'étaient pas pour autant égayés dans
la nature. Du jour au lendemain, une nouvelle
race de citoyens venait d'être inventée : les sans-
papiers.

Heureusement, Ferdinand avait suivi à la
lettre les conseils d'André et d'Angela. Odette
arrivait dans quatre jours, juste deux semaines
avant la mise en application des nouvelles lois de
la bande à Giscard. Ferdinand avait déjà trouvé

un endroit décent où accueillir sa fiancée venant du village. En marchant vers sa guérite, il caressa la poche de son manteau et sentit la présence du papier qu'il avait signé la veille même. Un contrat de bail. Il avait signé pour un petit appartement dans le XVIIᵉ arrondissement, rue La Condamine, près des voies ferrées de la gare Saint-Lazare. Il se sentait comme ressuscité. Finies les réunions. Finies les longues traversées de palier en toutes saisons avec un rouleau de papier hygiénique à la main pour aller aux W.C. Le métro pour aller au boulot? Il s'y accoutumerait. Une chambre, un salon, une cuisine, une douche et des toilettes. Ferdinand allait avoir un « chez-lui ». Il était enfin arrivé en France, dans sa France. Avec sa petite Odette, ils avaient décidé de fonder une famille. Vigile était un bon job.

Ferdinand arriva aux Grands Moulins.

Sephora les Champs-Élysées

Champs-Élysées

Magasins, boutiques, supermarchés, galeries commerciales, hôtels, chaînes de restaurants… Si cette avenue est la plus belle du monde, le vigile est alors fleuriste-frigoriste-thalassothérapeute chez les Inuits.

MIB

À Sephora les Champs-Élysées, le vigile est habillé en veste noire, pantalon noir, chemise noire, cravate noire. C'est le MIB : le Man In Black. Il travaille en équipe avec quatre autres vigiles et un chef posté devant des écrans renvoyant les nombreuses images de la quarantaine de caméras qui truffent le magasin. Il a un talkie-walkie branché à une oreillette translucide. Vigile de luxe pour avenue de luxe.

Jn + 1

Les MIB de Sephora communiquent entre eux par oreillettes interposées et suivent des suspects ou présumés voleurs en désignant leur morphotype avec des codes qui obéissent à une suite numérique de type $J(n + 1)$, où «n» est un entier naturel.

J3 : type arabe.

J4 : type négroïde.

J5 : type caucasien.

J6 : type asiatique.

Le vigile n'ose toujours pas demander dans quelle catégorie seraient classés les métis. J4,5 type négro-caucasien ? J3,6 type arabo-asiatique ? J6,4 type asiatico-négroïde... Avec son incroyable taux de métissage et ses improbables mélanges, le vigile pense qu'au Brésil, ses collègues doivent forcément avoir une fonction beaucoup plus complexe pour décrire les gens par leur type physique. Là-bas, on dit que Dieu a créé l'homme, et que le Portugais a créé le métis.

FONI

À force de baigner toute la journée dans toutes ces fragrances, tous ces parfums mélangés, la vendeuse de Sephora devient une FONI : Femme à Odeur Non Identifiable.

HOVNI

Comme la vendeuse, le vigile baigne dans les odeurs de parfum toute la journée. Ce qui fait de lui un HOVNI : Homme à Odeur de Vigile Non Identifiée.

Pet

Le vigile est toujours à la recherche d'une épithète pour qualifier le mélange d'odeurs que donne un pet nauséabond lâché dans le rayon des parfums pour femmes.

Douche

— *Walah ! Ça sent trop bon. Je ne vais plus jamais me laver de ma vie.*

Un préadolescent, après s'être littéralement aspergé de plusieurs bouteilles de parfum en démonstration.

Du fait de la mise à disposition gratuite de bouteilles tests, la douche de parfums est le sport le plus couru dans Sephora. Il n'est pas rare de voir des personnes s'arroser de parfums de toutes les marques en une seule fois avant de s'en aller ravies, radieuses.

Sephoraaaa ou Sephoooora

Le Sephora des Champs-Élysées est l'un des plus grands du monde. En arrivant ou en passant devant la boutique, il est très fréquent d'entendre les gens s'écrier à haute voix comme s'ils venaient de voir une vieille connaissance dans les bras de laquelle ils allaient se jeter : «*Sephoraaaaa !*», version française. «*Oh my god ! Sephoooora !*», version anglaise.

Sephoraaaaarrgh

Devant, un tapis rouge comme une langue. Au fond, des pylônes peints en rayures noires et blanches ; de loin, ils ressemblent à des dents acérées. L'entrée de Sephora est une gueule de fauve bâillant sur les Champs-Élysées sa forte haleine de parfums en tout genre.

Bar

Bar à cadeau ou Gift bar, bar des maquillages, Brown bar, Care bar, etc. C'est vrai qu'il y a de l'alcool dans les parfums.

Amy Winehouse

Une femme est le sosie confondant d'Amy Winehouse. Au point que le vigile se demande si au lieu de tester les parfums sur sa peau, elle ne va pas plutôt les ouvrir pour les boire.

La Mecque

Avec sa mosquée, ses librairies islamiques, ses boucheries halal, ses boutiques de vêtements, de voiles et de fichus islamiques, le haut de la rue Jean-Pierre Timbaud à Belleville est surnommé Jalalabad.

En trois heures seulement de vacation, le vigile a compté plus de femmes voilées dans Sephora qu'en six mois dans le Tout-Belleville, Jalalabad compris.

Sephora est La Mecque et le stand Christian Dior, la Kaaba autour de laquelle tournent les femmes, arabes ou non, voilées ou pas, au nom du saint parfum.

Femme d'émir

Recouverte de la tête aux pieds d'un voile noir, à chacun de ses pas apparaît brièvement une chaussure à haut talon en cuir brillant, surmontée d'une cheville que serre déjà le jean qu'on imagine très plaqué sur le reste de la jambe. Elle est accompagnée d'une servante, d'un homme de main et d'un garde du corps. Ils sont faciles à reconnaître dans leurs rôles respectifs. La servante, apparemment d'origine philippine, le visage particulièrement boutonneux, tient tous les sacs des boutiques de luxe depuis la place Vendôme jusqu'aux Champs-Élysées. L'homme de main, un Arabe très efféminé, tient le sac à main sous une aisselle et la carte de crédit, ostensible, au bout de deux doigts de la main. Le garde du corps, c'est celui qui tient les trois parapluies et suit sans broncher.

Sephoarabia ou le bal des voilées

De France ou d'ailleurs, de Paris ou de banlieue, hommes ou femmes, riches ou pauvres, jeunes ou vieux, racailles ou émirs, Sephora est très fréquenté par des Arabes de tous horizons. Ce qui est à l'origine d'un grand défilé de femmes voilées.

Noir ou de couleur, en un seul tenant ou en plusieurs parties, transparent ou opaque, manches longues ou demi-longues, visage entièrement couvert ou partiellement découvert, le voile se porte dans tous les styles.

Américanophiles

Un couple d'Arabes. Le mari porte un T-shirt sur lequel il y a la carte intégrale du métro de New York. La femme, intégralement voilée, porte un grand boubou gris dont les manches sont cousues dans un tissu imprimé comme un billet de 10 dollars. Sur son coude gauche, on peut distinctement lire la devise des États-Unis d'Amérique : «*In God we trust.*»

MIB and WIB

Dans le magasin, les vigiles sont les MIB, Men In Black, et les femmes voilées sont les WIB, Women In Black. Ils pourraient former des couples très assortis. «*Vigiles et voilées de tous les pays, unissez-vous !*»

Be Icone

Une WIB, à la recherche d'un produit, est à genoux devant le stand Dior. Au-dessus de sa tête clignote la phrase publicitaire : «*Dior addict, be icone.*»

Confusion

Une WIB, intégralement et intégristement voilée, fait régulièrement disparaître sous son hijab des rouges à lèvres et des crayons. Le vigile croit qu'il tient là un flagrant délit de vol… jusqu'à ce que, dans l'autre main de la WIB, il aperçoive un petit miroir qui disparaît en même temps que les produits. Première scène de maquillage sous cloche.

Père-fille

Un père arabe (Saoudien ? Koweitien ? Qatari ? Égyptien ?…) joue à lancer sa fille en l'air puis à la rattraper. La petite fille, cheveux au vent, est belle et tous deux rient aux éclats. Ils ont l'air si heureux. Le vigile ne peut s'empêcher de se demander si un jour, ce père obligera sa fille à se recouvrir intégralement d'un voile.

Théorie de Shéhérazade

Il y a des millénaires, les hammams étaient les premiers centres de soins et de beauté. Mascara, khôl, henné, huile d'argan, graphite, rouge à lèvres, etc., l'art du maquillage tel qu'il est conçu de nos jours trouve ses racines dans la culture arabe. Il a été rapporté d'Orient par les croisés qui devaient être bien contents de rencontrer sur leur chemin des femmes à l'odeur envoûtante, aux cheveux relâchés et sans poux, aux yeux délicatement redessinés, aux joues fardées avec autre chose que de la farine de blé. Dans les contes des *Mille et Une Nuits*, Shéhérazade est l'image tutélaire de la femme coquette et belle.

Aujourd'hui, elle serait une parfaite pin-up de L'Oréal ou de Christian Dior.

Golfe de l'embonpoint

Bahreïn, Qatar, Koweit, Émirats arabes unis, Arabie Saoudite, l'homme arabe du golfe Persique, quelle que soit sa physionomie, présente toujours au moins un signe extérieur d'embonpoint. Une fois sur deux, il est carrément obèse.

Les corps de ces Bédouins qui ont survécu des millénaires dans les conditions extrêmes du désert ont appris à garder le plus longtemps possible le très peu de nourriture qu'ils recevaient. Les organismes la stockaient sous forme de réserve de graisse destinée aux longs jours de disette. Ils n'étaient pas préparés à l'opulence et à la richesse que leur ont brusquement procurées le pétrole et son afflux massif de dollars. La nourriture, désormais abondante et riche, continue d'être rapidement transformée et longtemps stockée en graisse dans le corps. On ne défait pas en trente ans ce que la nature a mis plus de trois mille ans à faire.

Allahmdoulilah

Une femme arabe « dévoilée », fausse blonde et en grande tenue de soirée, fait un rot tonitruant dont le son se détache nettement du brouhaha ambiant. Puis, voyant que le vigile l'a remarquée, lance : «*Allahmdoulilah !*»

Quand l'Islam s'est fait connaître chez les Bédouins, il était rare de faire des repas qui donnassent une quelconque haleine, tant ils étaient frustes. Alors, les fois où l'on pouvait roter quelque chose de son repas, il était de bon ton de remercier Allah pour ce miracle.

D'un centre commercial à l'autre

Quitter Dubaï, la ville-centre commercial, et venir en vacances à Paris pour faire des emplettes aux Champs-Élysées, l'avenue-centre commercial.

Le pétrole fait voyager loin, mais rétrécit l'horizon.

T-shirts qui parlent

Le T-shirt semble être devenu un moyen d'expression à la mode. Sur des poitrines avec ou sans seins, et/ou dans le dos, des phrases, des mots, des slogans, parfois de véritables professions de foi invectivent le monde alentour.

• *Pretty little thing.* Par une femme blonde aux longs cheveux, de type nordique, qui pèse pas moins de 120 kg pour son 1,90 mètre.

• *Les aigles ne volent pas avec les pigeons.* Par un jeune homme noir au style de rappeur gangster. Il ne lâche pas sa copine d'une semelle.

• *Elle dit non aux garçons.* Par une femme aux rondeurs impressionnantes et à la démarche lascive exagérément déhanchée. Si ce que dit son T-shirt est vrai, le vigile connaît bien des Africains qui pourraient l'envoyer chez un marabout pour la désenvoûter.

• *Je suis brune et pas chelou.* Par une petite brune aux cheveux courts et à la démarche masculine.

• *One good thing about music, when it hits you feel no pain.* Une phrase de Bob Marley qu'un adolescent a réussi à caser sur un T-shirt qui lui arrive aux genoux.

• *Don't abuse alcohol, just drink it.* Par un grand blond qui parle une langue aux accents slaves.

• *I hit like a boy.* Par une Asiatique lilliputienne.

• *Bitch better have my money.* Tiré d'une poésie d'un rappeur new-yorkais visiblement très fin appelé Ja Rule et porté par un petit Blanc habillé vintage en rappeur des années 80.

• *Ici c'est Paris, fuck l'OM.* Par un petit blondinet de 11 ans, accompagné de ses jeunes parents.

Le voile et la capuche

Il est interdit de rentrer dans le magasin avec une capuche sur la tête. Mais il n'est pas interdit d'entrer avec un voile, même intégral. Quelle attitude adopter quand apparaît cette jeune fille qui a une capuche sur un voile ?

De l'attirance naturelle des pôles opposés

Un grand Blanc d'environ 2,10 mètres, très pâle, coiffé d'une crête iroquoise peroxydée, tient la main d'une petite femme très noire de peau, d'environ 1,50 mètre. La femme est «très» enceinte et cela accentue l'effet de contraste d'une boule ratatinée aux pieds d'une perche interminable. L'homme parle en regardant devant lui sans jamais baisser la tête. La femme lui répond sans jamais lever la tête. Aucun d'eux ne crie malgré l'altitude qui les sépare. Ils doivent avoir des téléphones et des oreillettes cachés pour pouvoir communiquer de la sorte. Impossible autrement dans le brouhaha du magasin.

Dialogue

— *Monsieur, monsieur, s'il vous plaît, je ne vois pas ma fille. Vous ne pouvez pas m'aider à la trouver ?* (Une vieille dame en panique au vigile.)

— *Décrivez-la-moi, madame, s'il vous plaît.*
(Le vigile.)

— *Elle est blonde avec des cheveux courts. Elle s'appelle Marion et...* (La vieille dame encore plus affolée.)

— *Calmez-vous, madame. On va la trouver, je vais faire passer une annonce. Elle a quel âge votre fille ?* (Le vigile.)

— *40 ans !* (La vieille dame.)

— *Madame, à cet âge-là, on ne se perd pas dans un magasin !* (Le vigile.)

— *Mais vous ne comprenez rien, monsieur. C'est moi qui suis perdue !* (La vieille dame au bord des larmes.)

Tattoo vs Henné

Sur les peaux, la bataille Tattoo vs Henné fait rage.

Fragile

Comme sur les cartons d'emballage de colis délicats, une femme aux cheveux courts s'est tatoué sur le cou, au-dessous de la nuque, juste entre la C3 et la C4 : « Fragile. » Très pertinent. C3 et C4 sont les vertèbres cervicales à la base du crâne. Elles sont très fragiles. La moindre fracture, et la moelle épinière peut être sectionnée nette. Conséquence : paralysie irréversible et/ou mort par dégénérescence des neurones.

Code-barres

Un code-barres est tatoué sur le cou d'une jeune fille. Grande tentation de lui passer le pistolet à infrarouges de la caisse pour savoir combien elle coûte.

Tattoo négro

À cause du faible contraste entre l'encre noire du tatouage et la peau du tatoué, chez les Noirs, les tattoo ressemblent à des dermatoses. De plus, la tendance naturelle des peaux noires à cicatriser en produisant des chéloïdes fait que vus de près, les tattoo des Noirs sont en 3D.

Fond de teint

Un teint, c'est la couleur de fond d'une peau. Mais alors, qu'est donc un fond de teint ? Drôle d'expression.

Bobbi Brown vs Bobby Brown

Bobbi Brown est une marque américaine réputée pour ses fonds de teint.

Bobby Brown est un chanteur américain réputé pour battre régulièrement et violemment sa femme, la chanteuse Whitney Houston[1], elle-même célèbre pour avoir longtemps hurlé à plein tube à nos oreilles « *I will always love you* ».

Bobby Brown est le mari idéal pour une grande consommation de Bobbi Brown. Et si son épouse Whitney tient parole, cet homme pourrait être nommé à vie représentant commercial de la marque.

Jeux de mots

Dans l'industrie de la beauté,
Les jeux de mots sont empâtés :

Dior J'adore
Cargo, the big bronzer
Eau d'Issey Miyake
*The PORE*fessional
*Bene*Fit
Posie tint
Diesel Fuel for Life
Dande lion...

---

1. Whitney Houston est morte quelques mois après l'écriture de ces lignes. Ni Bobby Brown ni Bobbi Brown n'ont souhaité communiquer sur l'événement.

Quand manquent les mots

In extenso sur une boîte :
> *Yes to tomatoes*
> *Crème pour la peau*
> *Vraiment formidable*

Diesel Fuel for Life

Sur ce panneau publicitaire, un éphèbe, bouche entrouverte, chemise ouverte sur des abdominaux sculpturaux. De la braguette ouverte de son jean, on voit la bouteille de parfum. Son goulot est comme un phallus monté sur un testicule unique, disproportionné, le ventre de la bouteille.

Dialogue

— *Il m'a dit qu'il était «bi» mais moi, je croyais que c'était parce qu'il n'assumait pas son homosexualité.* (Une femme d'une trentaine d'années à son amie goguenarde.)

— *Alors ?* (L'amie.)

— *Il avait une érection énorme.* (La femme, d'un signe sans équivoque du bras.)

— *Noon ! Alors ?* (L'amie.)

— *Alors il m'a sauté dessus comme s'il sortait de prison.*

— *Nooooon !*

Les deux femmes rient de bon cœur. Elles sont en face du panneau publicitaire Diesel *Fuel for Life*.

Tchatcho et kpakpato

On appelle «Tchatcho» les Africaines ou Africains noirs qui se sont artificiellement éclairci la peau. Ces «apprentis blancs», ces «clairs-obscurs», sont toujours trahis par des parties de l'anatomie qui demeurent très rebelles à la «blanchitude»: les articulations des doigts. On appelle donc «Kpakpato», c'est-à-dire traîtres, ces parties du corps.

Le vigile croit avoir identifié une femme «Tchatcho» mais la maline porte des gants. Impossible donc de se faire un jugement sur l'origine de cette pâleur extrême si rarement combinée avec un visage de Bantou… Alors apparaît derrière elle un petit garçon de 10 ans qui lui ressemble trait pour trait. Mais lui est noir comme le charbon. La «Tchatcho» est démasquée.

Moralité: La progéniture est un bon «Kpakpato» pour démasquer un «Tchatcho».

Point «G»

La «Tchatcho» porte un ensemble survêtement en velours rose. La marque de son accoutrement est écrite en de scintillantes lettrines de faux diamants sur les fesses : Christian Audigier. La queue stylisée du « g » entoure le trou du cul comme une cible.

Floko

Une femme blanche entre dans le magasin avec un sac sur lequel est dessinée en grand une chéchia coloniale bien rouge.

Au temps de la colonisation, les gardes coloniaux ou « gardes de cercle » étaient des Africains crétins, brutaux, cruels et zélés dans l'exécution des ordres de leurs maîtres blancs.

« Floko » en bambara, c'est un petit sac. Le prépuce, qui est comme un petit sac au bout du pénis, est aussi appelé « floko ». Par métonymie, le même mot désigne aussi les incirconcis. Dans des contrées où la circoncision est souvent un rite initiatique de passage à l'âge adulte et à la responsabilité personnelle et collective, être traité d'incirconcis est particulièrement insultant. Haïs des populations pour leur brutalité et leurs abus, les gardes coloniaux étaient surnommés « gardes floko ». Ils portaient des chéchias rouges.

Floko 2

Avec sa belle chéchia rouge, le nègre de Banania est un « garde floko » ! Derrière son large sourire, il cache une matraque sculptée dans de l'iroko, le bois le plus dur de la forêt, et peinte à la chaux blanche pour être visible de loin et pour bien se rappeler la couleur de la peau de l'homme qui donnait l'ordre de l'abattre sur une tête, un dos, une paire de fesses. C'est peut-être là que se trouve l'explication du fait que la poudre de cacao n'a jamais connu, dans les colonies, son succès de la métropole.

Floko 3

Un homme noir, dans un anglais au très fort accent américain, demande au vigile où se trouve la boutique Guerlain. Il porte un sac sur lequel est écrit : « Comptoir des Cotonniers ». En d'autres temps, cet homme-là aurait été un Uncle Tom, version américaine moins violente mais plus zélée du « garde floko ».

Rouge à lèvres blanc

Une femme noire s'est peint la bouche avec un rouge à lèvres blanc. Cela donne l'impression que ses lèvres sont infectées et remplies de pus.

Codes couleur

Le magasin est tout en longueur et les piliers blanc-noir font penser à un arbitre de basket-ball américain. À droite, code de couleur orange pour les Parfums Hommes. À gauche, le rose pour les Parfums Femmes. Au fond, le vert pour les soins de corps et du visage. Cette zone est surnommée « La Prairie », autant pour sa couleur que pour le nom d'une marque de cosmétiques suisse, La Prairie, qui vend l'article le plus cher du magasin : une pommade à 900 euros les 100 ml.

Vache dans « La Prairie »

Une femme grande de taille, avec des cuisses, des fesses et des seins énormes, est habillée très près du corps, dans un ensemble tacheté blanc et noir. Elle a le nez percé d'un large anneau qui lui pend sur la lèvre supérieure et elle mâche un chewing-gum en regardant fixement et longuement un pot de pommade La Prairie.

Vacherie

Certes, il existe des niveaux un peu plus exigeants dans les métiers de la sécurité. Et vigile est à la sécurité ce que « La vache qui rit » est au fromage.

Vénus huguenote

Une imposante femme blanche stéatopyge, avec un joli visage de poupin, est la réplique confondante de la célèbre Vénus Hottentote. S'il y avait beaucoup de Blanches comme elle, la pauvre Saartjie Baartman n'aurait jamais été une bête de foire dans les odieux zoos humains de l'Europe du siècle passé. Et elle n'aurait pas fini sa vie sur la table de dissection du Muséum d'histoire naturelle de Paris.

Chihuahua et petit d'homme

Dans le magasin, entre un vieil homme qui tient en laisse un chihuahua géant et un petit d'homme. Le chien a la laisse autour du cou. L'enfant a la laisse autour de la ceinture. Devant le regard interloqué du vigile, le vieil homme glisse avec un clin d'œil appuyé :

— *C'est mon petit-fils, il est hyperactif, j'ai un certificat médical !*

Quand sonne le portique

Le portique de sécurité sonne quand quelqu'un sort ou entre avec un produit qui n'est pas démagnétisé. Ce n'est qu'une présomption de vol et, dans 90% des cas, le produit a été payé en bonne et due forme. Mais il est impressionnant de voir comme presque tout le monde obéit à l'injonction sonore du portique de sécurité. Presque personne ne la transgresse.

Mais les réactions divergent selon les nationalités ou les cultures.

• Le Français regarde dans tous les sens comme pour signifier que quelqu'un d'autre que lui est à l'origine du bruit et qu'il le cherche aussi, histoire de collaborer.

• Le Japonais s'arrête net et attend que le vigile vienne vers lui.

• Le Chinois n'entend pas ou feint de ne pas entendre et continue son chemin l'air le plus normal possible.

• Le Français d'origine arabe ou africaine crie au complot ou au délit de faciès.

• L'Africain pointe le doigt sur sa poitrine comme pour demander confirmation.

• L'Américain fonce directement vers le vigile, sourire aux lèvres et sac entrouvert.

• L'Allemand fait un pas en arrière pour tester et vérifier le système.

• L'Arabe du Golfe prend un air le plus hautain possible en s'arrêtant.

• Le Brésilien lève les mains en l'air.

• Un jour, un homme s'est carrément évanoui. Il n'a pas pu donner sa nationalité.

Cage de Faraday

Pour échapper aux ondes électromagnétiques du portique et donc aux vigiles, le meilleur moyen est de mettre les articles volés dans une cage de Faraday. Un moyen simple de s'en fabriquer une consiste à tapisser entièrement un sac d'une ou plusieurs couches de papier aluminium. Mais cela rigidifie les parois du sac et l'œil du vigile est exercé pour repérer la duperie. Dans le doute, le vigile peut déclencher lui-même l'alarme et mettre ainsi la main sur ceux qui utilisent les lois de Michael Faraday plutôt que leurs cartes bancaires pour faire les courses.

Dior *J'adore*

Ce parfum exerce une attraction systématique et très puissante sur les femmes arabes, chinoises et européennes de l'Est. Il existe dans le magasin un concours journalier informel des acheteuses de Dior *J'adore*. Hier, victoire aux AUE (Arab United Emirates) avec une femme qui avait pour 1 399,76 € de Dior *J'adore* sur un panier total de 3 456,85 €.

Dior *J'adore* 2

Un long cou cerclé d'un empilement d'anneaux cuivrés sur lequel se pose une petite tête : le dessin de la bouteille de Dior *J'adore* évoque les «femmes girafes» de Thaïlande. Ces femmes, originaires d'une tribu du Myanmar (ex-Birmanie), sont parquées par des tour-opérateurs dans de faux villages authentiques où elles s'exhibent aux touristes occidentaux pour de ridicules sommes d'argent. Avec ses «bouteilles girafes», Dior *J'adore* oscille entre cynisme et esthétisme creux.

La rampe

Cinq ou six fois par jour, les vendeurs et vendeuses du magasin forment une haie à l'entrée. La musique est alors mise au volume maximal et tout le monde danse en battant des mains plus ou moins en rythme. En interne, chez Sephora, cela s'appelle «une rampe». C'est une des grandes attractions de l'avenue. Il y a systématiquement un attroupement devant le magasin. Avec le tapis rouge, les clients qui entrent à ce moment-là ont l'impression d'être des privilégiés, des stars. Le moindre minable petit pas de danse esquissé déclenche les cris stridents des vendeurs et vendeuses. Bien évidemment, pour immortaliser ce moment «mémorable», chacun sort son appareil photo ou son téléphone. Vu de loin, cela donne l'impression d'une forêt d'appareils montés sur jambes humaines. Le «spectacle», ils le regardent par écrans interposés.

La rampe 2

Beaucoup trop de monde, beaucoup trop de bruit, mauvais danseurs, mauvaise musique, « la rampe » est l'un des pires moments du vigile.

Qui grillera en enfer pour toute cette horrible musique univer*salement* répandue ?

En attendant, maudits soient David Guetta et les Black Eyed Peas !

Déodorant

Littéralement, le déodorant parfait serait celui qu'on utiliserait pour s'enlever toute odeur corporelle. Pas pour s'en mettre une autre.

Nikon vs Canon

Les Asiatiques, avec de gros appareils photo munis de gros objectifs pendus en bandoulière sur leur ventre, se divisent en deux groupes :
- Les jaunes : bandoulière Nikon jaune et noir.
- Les rouges : bandoulière Canon rouge et noir.

Le porte-chaussures

Un jeune Japonais entre avec un sac Prada en bandoulière et, dans une main, une espèce d'instrument en plastique sur lequel sont accrochées des baskets visiblement usagées : c'est un (trans)porte-chaussures. Lui-même porte des sandales bleues et le vigile l'imagine, quand il se met à pleuvoir, changer rapidement de chaussures au cri de « banzaï ! ». Quand on ne comprend pas « l'autre », on l'invente, souvent avec des clichés.

Révolution culturelle LV

Ceintures, porte-monnaie, foulards, sacs à main, sacs de voyage, etc. Les Chinois ont toujours au moins un accessoire Louis Vuitton. La révolution culturelle de Mao a trouvé son achèvement place Vendôme.

Chine vs Japon

• En dehors de l'impératif accessoire Louis Vuitton, le Chinois est habillé comme Dédé ou Henriette du Bar des Sports à côté de la gare de La Ferté-sous-Jouarre[1] ou d'Ambléon-sur-Gland[2].

• Le Japonais est habillé comme Félix ou Anne-Sophie au Chat noir ou Chez Prune, à Oberkampf ou au canal Saint-Martin à Paris.

-----

1. Ville de la Seine-et-Marne, extrême banlieue est de Paris, où il y a du travail dans l'immense centre commercial ou au péage de l'autoroute A4.
2. Village de l'Ain, au nord de Lyon, où coule le Gland, une paisible rivière.

- Dans une conversation de Chinois, il ressort une grande majorité de «a» dans les phonèmes. La Chine est continentale, donc naturellement ouverte d'une certaine façon.
- Dans une conversation de Japonais, il ressort une grande majorité de «o» dans les phonèmes. Le Japon est insulaire, donc naturellement fermé d'une certaine façon.
- Le Chinois est toujours dans un groupe.
- Le Japonais est souvent seul ou tout au plus en couple.
- Le Chinois crie, même pour demander des renseignements au vigile.
- Le Japonais susurre, surtout pour demander des renseignements au vigile.

Durs de la feuille

Comme les Chinois, il existe une grande chance pour que les Italiens soient durs de la feuille eux aussi. Sinon, il serait difficile d'expliquer pourquoi ils parlent si fort, même quand ils sont proches les uns des autres.

Messie

«L'art sauvera le monde», Fedor Dostoïevski. Écrit en caractères gras sur le sac d'une vieille dame.

Grand capital aveugle et apatride

Une femme est entièrement voilée. Il n'y a même pas d'ouverture pour les yeux. Elle peut être de n'importe quel pays. Elle porte un sac en plastique sur lequel est écrit en rouge :
LE REVENU
Le magazine conseil
Bourse et Placements.

Niloufar, la Perse

C'est une vendeuse d'origine iranienne. Elle compense son visage relativement ingrat par un sourire à toute épreuve. Elle dégage une vraie joie de vivre. Niloufar veut dire «nénuphar» en perse. Le lotus aussi est un nénuphar.

Goût de racaille

Les jeunes de banlieue à qui l'on donne le titre abusif et arbitraire de racailles viennent se parfumer systématiquement au rayon Hugo Boss, ou avec *One Million* de Paco Rabanne, une bouteille en forme de lingot d'or. Il y a du rêve dans la symbolique et de la symbolique dans le rêve.

Rétrogradation

L'axiome de Camaïeu, «*Dans un magasin d'ha-*

bits, un client qui n'a pas de sac est un client qui ne volera pas », n'est pas applicable chez Sephora. Ce qui le rétrograde au rang de simple théorème.

Chez Sephora, slips, soutiens-gorge, poches, pochettes, foulards, casquettes, gants, poussettes, etc., tout ce qui peut porter ou transporter une partie de corps humain est susceptible de servir de cachette ou de moyen de transport à un article qui n'a pas fait l'escale obligatoire des caisses.

L'âge d'or 1990-2000

« *Envoyez de l'argent au pays.* » La femme s'était noué sur la tête un morceau de pagne. Sa camisole aux motifs vifs et multicolores était coupée dans le même tissu que sa coiffe. Un wax[1] hollandais, sûrement. Peut-être un « Mon-mari-m'a-laissée », un « Ma-rivale-est-jalouse » ou un « Ton-pied-mon-pied ». Couleurs criardes, motifs à formes étranges, noms pittoresques, on n'a jamais vu une seule Hollandaise habillée dans un tissu de ce genre. À Amsterdam comme à Feyenoord, à part le jour de la fête de la reine où tout le monde se vêt en orange, les habits sont aussi sobres et sombres que partout ailleurs en Europe. Mais pourtant, depuis bien longtemps, les femmes africaines ne jurent que par les trucu-lents « *Wax véritable, 100 % made in Nederland* ».

_____

1. Pièce de coton imprimée des deux côtés grâce à un sys-tème de cire importé en Afrique par les soldats ghanéens qui combattaient pour la Hollande à Java et à Sumatra.

La pièce de tissu vaut au moins le salaire mensuel d'un petit fonctionnaire de Ouagadougou ou de Lomé.

La femme était figée dans un large sourire que surmontaient des pommettes bien rondelettes et brillantes malgré sa peau noire. Son cou strié, en descendant, se transformait doucement en épaules arrondies. Les clavicules avaient honte de briser cette harmonie de courbes, alors elles n'avaient osé creuser aucun trou à la base du cou. Seuls les seins, qu'on devinait monumentaux, s'étaient permis un début de sillon que recouvrait pudiquement sa précieuse étoffe batave, le wax. La femme respirait l'embonpoint et le bonheur ; l'image ne voulait pas qu'il y eût un seul doute sur ce point.

« *Envoyez de l'argent au pays.* » L'enfant était debout à côté de la femme. Il portait une chemise en pagne lui aussi. Sûrement un fancy. On ne coudrait pas les chemises d'un enfant dans des wax hollandais. Ça ne se fait pas. Pour les enfants, «*fancy est mieux !* ». Le fancy était un pagne de moindre qualité, le pagne de tous les jours. Fancy ! Avec un nom pareil, ce pagne-ci devait sûrement trouver ses origines dans les usines de filature d'Angleterre. Liverpool ? Manchester ? Peut-être. Maintenant, le fancy était fabriqué dans des usines installées au pays même, à Bouaké ou à Abidjan. Et dans l'esprit des gens, cela suffisait pour lui trouver toutes sortes de tares de fabrication, réelles ou supposées. On disait par exemple que le fancy déteignait beaucoup plus vite que le wax. Mais comme il coûtait beaucoup moins cher, il était porté beaucoup plus souvent, donc autant lavé. Frappé sur la pierre, frotté énergiquement sur des planches de bois rugueux, rincé à grandes eaux, torsadé dans tous les sens pour en retirer l'eau, puis séché sous le cuisant soleil des tropiques, quel tissu résisterait longtemps à un tel traitement ? La chemise en fancy de l'enfant n'avait visiblement pas encore subi les assauts des « Fanico », vigoureux laveurs de linge. Ces lavandiers musclés faisaient le tour des concessions tous les matins, à la recherche d'une étoffe à maltraiter au nom du désir de propreté. Sur l'affiche, la chemise de l'enfant était neuve et très bien repassée. Aucun « Fanico » n'y avait jamais touché. L'enfant fixait l'objectif avec des yeux rieurs tirés en amande par un grand sourire tout aussi large que celui de la femme. Son embonpoint apparent et son visage rond suggéraient une parenté très proche avec la femme. Mère et fils ? Sûrement. En tout cas, l'image ne voulait pas qu'il y eût un seul doute sur ce point.

«*Envoyez de l'argent au pays.*» La photo était coincée dans un de ces porte-monnaie fabriqués avec un petit cadre de plastique translucide sous lequel on pouvait glisser des images d'êtres au moins aussi chers pour le porte-monnaie que pour le cœur. Juste au-dessous de la photo, l'image d'un gros pouce noir certifiait que le propriétaire de la bourse était bien un homme noir. Pas un Antillais, sinon la femme aurait un chapeau fantaisiste et son étoffe serait à carreaux. Pas un Américain, sinon la femme aurait une noire et lisse crinière de faux cheveux en guise de coiffure, des yeux verts-lentilles-de-contact, et un tailleur monochrome à la coupe stricte. Non, l'homme qui tenait ce porte-monnaie était un Africain. Les pagnes de la femme et de l'enfant le confirmaient. Le pagne comme marqueur d'africanité. Le publiciste connaissait parfaitement son abécédaire des clichés. En plus, avec le complément de lieu «*au pays*», on pouvait aussi dire qu'il maîtrisait son petit-nègre de poche. L'injonction se détachait au bas de l'affiche, dans une lettrine jaune sur fond noir. Western Union® vantait ainsi son service de transfert d'argent sur un panneau de 4 mètres sur 3. «*Envoyez de l'argent au pays.*» Ossiri regardait les douze mètres carrés de pub depuis sa petite cabane de vigile à l'intérieur de ce qui était autrefois les Grands Moulins de Paris.

Sur le quai Panhard-et-Levassor, les Grands Moulins n'étaient plus qu'une carcasse vide. Depuis belle lurette déjà, plus un seul gramme de farine n'était sorti de cette bâtisse fantomatique, coincée entre la Seine et les chemins de fer de la gare d'Austerlitz. Pour empêcher les marginaux d'occuper le site, l'ensemble était surveillé par des vigiles, en permanence, vingt-quatre heures sur vingt-quatre, tous les jours de l'année. Une petite cabine en préfabriqué avait été aménagée pas loin de l'entrée où trônaient une vieille guérite en ruine et le reste manchot d'une barrière. À l'intérieur, une table, une chaise et un petit poêle électrique. Ce matin d'hiver, Ossiri avait froid. Assis sur la chaise, il avait carrément posé les pieds sur le poêle qui essayait, de toute la force de ses résistances électriques, de remonter de quelques degrés la température de la bicoque. Les mains dans les poches, il regardait fixement le panneau de Western Union® réclamer, au nom des sourires enjôleurs d'une femme en wax et d'un enfant en fancy, que les immigrés noirs de France envoient de l'argent « au pays ».

« *Envoyez de l'argent au pays.* » Un zeste dans l'assurance de son regard, un chouïa dans le port du nez, un petit peu de son aisance devant l'objectif, ou peut-être l'impression générale… À force de scruter cette affiche, Ossiri avait fini par trouver des points de ressemblance entre sa mère et la femme de la photo publicitaire. Le travail des publicistes était une parfaite réussite parce que trouver une quelconque similitude entre ces deux femmes-là relevait quasiment de l'exploit hallucinatoire, tant elles avaient des physiques diamétralement opposés. De plus, la mère d'Ossiri jamais ne s'habillait en pagne. Jeans et hauts sobres, elle mettait. Toujours. Elle avait pris cette habitude depuis qu'elle était rentrée de France, dans les années 70, après ses études de sociologie. Son style vestimentaire dit de femme occidentale émancipée lui avait valu un sobriquet qu'elle détestait par-dessus tout : « la Blanche ». Pourtant, elle n'hésitait pas à expliquer à qui voulait l'entendre que le pagne dit africain était un *« vif symbole »* d'aliénation, de colonisation, de dépendance : *« L'achèvement ridiculement coloré du cycle infernal de l'humiliation des nègres commencée depuis l'esclavage. »* Ossiri s'était toujours demandé d'où sortaient ces phrases et cette passion qui s'allumait dans les yeux de sa mère dès qu'elle se mettait à parler de ces sujets-là.

« Par la ruse, le fer et la poudre, les Blancs enchaînèrent les nôtres, par millions, les enlevèrent et les disséminèrent sur tout ce qu'ils trouvèrent comme cailloux sur le chemin des Amériques. Sous le fouet, l'humiliation, et l'absolue négation

de toute leur humanité, ils les firent travailler dans des plantations, comme Bakary le maraîcher fait travailler ses bœufs dans la boue du bas-fond derrière la maison. Comprenez bien les enfants, les Blancs sont comme nous. Ils ont juste un problème d'échelle mais ils sont comme nous. Comme nous, dans la chair et dans l'âme. Comme nous, dans la dévotion des dieux. Pour que leurs champs soient fertiles, ils font des sacrifices. Mais là où nous, on égorge symboliquement un poulet dont on laisse couler un mince filet de sang dans la terre en envoyant quelques imprécations bien choisies à nos ancêtres, eux sont obligés de verser des torrents d'hémoglobine. Leurs ancêtres à eux avaient affreusement torturé et humilié le fils de leur Dieu, avant de le clouer à une croix sur laquelle il mourut en se vidant de son sang. Pour expier cette faute-là, leur Dieu réclamait désormais des torrents de sang lors des sacrifices propitiatoires. Alors, les Blancs massacrèrent des millions d'Indiens afin de rendre fertiles les terres des Amériques. Des rivières de sang d'hommes rouges abreuvèrent le sol sur lequel des esclaves noirs travaillèrent sans relâche pendant quatre siècles ! Comprenez bien les enfants, quatre cents ans durant lesquels les Blancs des Amériques vendirent au monde entier les produits agricoles les plus financièrement rentables de tous les temps. La canne à sucre et le coton en étaient les plus emblématiques. Le coton enva-

hit toute l'Europe. Les filatures de France, d'Angleterre, de Hollande se mirent à tourner à plein régime. Et les Blancs là-bas s'habillèrent de mieux en mieux. Au fil des années, nos frères en esclavage devinrent de plus en plus nombreux et de plus en plus forts. Tellement forts que même sous le fouet, ils arrivaient à chanter de magnifiques complaintes tout en travaillant toujours plus dur. Alors, le coton finit par submerger toutes les filatures d'Europe. Les Blancs avaient beau s'habiller, se changer tous les jours, inventer des modes, ils ne pouvaient plus consommer tout le coton bon marché qui venait du Mississippi, d'Alabama, des Caraïbes, de toutes les Amériques. C'est alors qu'ils eurent une brillante idée : l'Afrique. Oui, l'Afrique, un grand réservoir de consommateurs d'étoffes de coton dormait à portée de navire, sacré nom d'une pipe ! Des millions de sauvages se promenaient encore à poil en Afrique. Une Afrique que les Européens avaient soigneusement dépecée en territoires plus ou moins aléatoires, et qu'ils s'étaient méticuleusement partagée comme on se partageait la viande de l'éléphant après la chasse collective. Depuis l'époque où ils échangeaient des miroirs ou des bibelots clinquants contre de l'ivoire ou de l'or avec des chefs de tribu ignares, les Blancs s'étaient forgé une idée solide et bien précise des mœurs et des goûts supposés des Africains. Dans les filatures, ils transformèrent les balles de coton en tissus aux couleurs criardes et aux motifs délirants. Le pagne africain venait de voir le jour. En déportant des millions de nègres quelques siècles plus tôt, les Blancs s'étaient largement entraînés à remplir de façon très efficace les cales des bateaux avec des marchandises gigotantes et pas toujours faciles à ranger. Je ne vous dis pas quand la marchandise est inerte, souple et pliable ! Les cales des bateaux furent remplies à ras bord, parfois jusqu'au pont. Ils déversèrent des kilomètres et des kilomètres de pagnes sur toutes nos côtes ; de Dakar à Nairobi, du Caire au Cap. La propagande du fort trouve toujours écho dans la soumission du faible. Les Africains et les Africaines adoptèrent et adaptèrent le pagne comme s'il avait toujours existé sous cette forme-là. Les Africains et les Africaines se mirent à couvrir leurs beaux corps avec ces étoffes à l'origine honteuse et au goût douteux. L'achèvement ridiculement coloré du cycle infernal de l'humiliation des nègres commencée depuis l'esclavage. »

« *Envoyez de l'argent au pays.* » Ossiri ne s'était jamais imaginé qu'une simple affiche aurait pu le transporter si loin dans l'espace et le temps. Les longues soirées de « mat'spé », pendant lesquelles sa mère leur racontait sa version de l'Histoire, lui remontaient par vagues successives et embuaient parfois son regard d'une pellicule de liquide lacrymal. On disait de la mère d'Ossiri qu'elle avait beaucoup changé après son séjour en France. Au grand dam de ses parents, elle commença par refuser le très lucratif poste de maître-assistant que le ministère de l'Éducation nationale lui proposa à l'université d'Abidjan. Elle avait décidé de rester la modeste institutrice qu'elle était avant de partir en France continuer des études que l'Université nationale ne pouvait lui dispenser au-dessus d'un certain niveau. Lorsqu'on lui demandait pourquoi elle avait fait un tel choix, elle perdait ses interlocuteurs dans d'incompréhensibles explications sur une théorie marxiste dite du «suicide des classes». Elle insistait toujours pour faire entendre son discours et les gens composaient des têtes totalement effarées quand elle se mettait à raconter qu'une telle idéologie avait été inventée et mise en pratique par un certain Amílcar Cabral, une espèce de Che Guevara à mélanine, un Capverdien parti faire la révolution en Sierra Leone. Chaque fois qu'elle manquait d'argent, la grand-mère d'Ossiri n'avait jamais de mots assez durs contre ce satané «Amil-caca-bral» parti loin de chez lui se mêler de ce qui ne le regardait pas et à cause duquel sa fille refusait d'être un grand professeur d'université. Après avoir «suicidé» sa classe, la mère d'Ossiri passa à une autre étape. Chaque fois qu'elle accouchait d'un enfant, elle refusait qu'il portât un prénom judéo chrétien ou islamique,

116

même quelque part en troisième ou quatrième position dans les confins des lignes des extraits d'actes de naissance de l'état civil abidjanais. Ossiri, son petit frère Wandji, ses petites sœurs Ohoua et Djèdja avaient toujours été les seuls élèves de leurs classes à ne porter que des noms africains. Cela leur avait valu, à tous les quatre, quelques bagarres mémorables à cause des moqueries d'autres enfants qui, eux, répondaient pêle-mêle aux prénoms de Jean-Claude, Pierre-Émile, Pascal, Jacques-Philippe, Brigitte, Anne-Cécile, Thérèse ou Marie-Françoise… Et c'est sa mère qu'on surnommait « la Blanche ». Un comble ! Quand Aké, leur grand économiste de père, s'en alla vivre avec une autre femme moins blanche, moins compliquée, et moins intellec-tuelle à son goût, les soirées « mat'spé » devinrent une sorte de communion familiale autour de leur mère. Ossiri se souvenait de mots, de phrases, de pans entiers.

« *Comprenez bien, les enfants, les* matières spéciales *de la maison sont au moins aussi impor-tantes que toutes celles que vous apprenez en classe. Les programmes de l'école de notre pays ont été établis par des gens probablement compétents, mais surtout très paresseux. Ils se sont contentés de continuer les programmes hérités de la coloni-sation. Sans réflexion aucune, ils ont suivi les pas*

de l'humiliant, l'infantilisant et raciste enseigne-
ment colonial. Maintenant, ce sont des Africains
qui apprennent à des enfants africains comment
avoir honte d'eux-mêmes, de leur culture, de leur
langue, de leur Histoire, de toute leur civilisation.
Ce sont des Africains eux-mêmes qui apprennent à
leurs propres enfants la bravoure des Vercingétorix,
la sauvagerie des Zoulous, la vision lumineuse des
Louis XIV, l'aveuglement des Béhanzin, la gloire
des Napoléon, la lâcheté des Samory, le courage
des Stanley, la couardise des Makoko, la générosi-
té de l'Église, l'obscurantisme des fétiches… Pour
montrer la suprématie de la civilisation judéo-chré-
tienne sur toutes les autres civilisations, c'est forcément plus efficace que du temps même des Blancs.
Comprenez bien, les enfants, le chef-d'œuvre de
la colonisation, ce fut l'éducation. C'est donc par
l'éducation seule, l'éducation de base, que nous
pourrons nous sortir de ce lourd passif colonial.
À l'université, c'est déjà trop tard. Les jeunes de
là-bas sont déjà trop vrillés par la fascination du
Blanc et le complexe du bon nègre. Ils vont faire
comme leurs maîtres. Il faut donc des hommes et
des femmes volontaires pour vous apprendre, pour
vous réapprendre à devenir les Africains que nous,
vos parents, aurions dû être si on nous avait appris
la valeur de notre propre culture, de notre très
vieille civilisation. Comprenez bien, les enfants ! »

Avec la musique des mots de sa mère, Ossiri se

souvenait aussi des gestes, lents et assurés, des lèvres qui dessinaient de merveilleuses figures biomorphiques, de cette flamme qui embrasait ses yeux, du regard subjugué de son frère et de ses sœurs… Ossiri se souvenait de tout. Et cela le réchauffait, bien plus que le poêle rougeoyant sous ses pieds.

«*Envoyez de l'argent au pays.*» Il était obligé de faire des rondes dans les bâtiments désossés. Vitres cassées, portes absentes, couloirs interminables, salles sans plafond, patios encombrés de ferraille, rampes mécaniques géantes figées dans la rouille, vieilles machines aux formes étranges… Les Grands Moulins de Paris étaient une ruine magnifique. Les courants d'air de l'hiver glacial dansaient leur froide farandole dans ce vaisseau spacieux échoué sur les bords de la Seine. Ossiri aimait beaucoup faire les rondes. Outre le fait d'épargner à son dos les ankyloses de la station assise sur une chaise raide, en marchant souvent dans ces lieux, il avait l'impression d'être dans un de ces films hollywoodiens où un héros solitaire traverse une terre post-apocalyptique à la recherche d'une vérité rédemptrice cachée loin quelque part au-delà du chaos. Il aimait la sensation de vertige quand il levait les yeux en certains endroits où montait un enchevêtrement de poutres de béton et de grands tubes métalliques. Là devaient se trouver les fameux silos. Par les seules lois de la gravité, les grains de blé tombaient de là-haut, de machine en machine, de tamis en tamis, jusqu'à finir à hauteur d'homme, en farine immaculée, lisse et sans aucun corps étranger. Ossiri s'imaginait mal toutes les tonnes de blé qui avaient dû passer là pour devenir des tonnes de farine transformées en tonnes de pain ayant nourri des millions de personnes pendant des décennies. Cela lui tournait la tête et il aimait cette sensation de vertige.

Au pays, il y avait aussi les Grands Moulins d'Abidjan. Ils dataient du temps de la colonisation et devaient avoir été construits sur le même principe que ceux du quai Panhard-et-Levassor. Et parce que là-bas, le pain était aussi une nourriture nationale, les silos des Grands Moulins d'Abidjan n'avaient jamais manqué de matière première. Sauf que, malgré les efforts conjugués des ingénieurs de l'ORSTOM et de l'INRA, aucun germe de blé n'avait jamais daigné pousser sous le climat tropical chaud et humide de la Côte-d'Ivoire. Ossiri et ses frères avaient eu droit à d'innombrables heures de «mat'spé» sur l'aliénation nutritive. Leur mère était très remontée sur ce sujet. À la maison, il n'y avait pas de pain au petit déjeuner. Jamais il n'y en avait eu. Il n'y avait pas de lait, ni de beurre non plus.

Igname, manioc, «riz couché», banane, sous toutes les formes et dans tous les styles de cuisson : elle déployait un trésor d'imagination pour qu'ils n'enviassent pas leurs camarades de classe nourris à la tartine de beurre Président, au lait concentré sucré Nestlé ou au lait concentré non sucré Bonnet Rouge.

«Comprenez bien, les enfants, on ne peut pas être indépendants quand même ce qu'on mange vient de ceux qui nous aliènent. Une grande partie de la richesse nationale retourne en Occident par l'achat des tonnes de blé dont nous avons besoin pour satisfaire le caprice du pain. Comprenez bien, les enfants, le pain est un caprice alimentaire, un complexe alimentaire, un mimétisme alimentaire, un traumatisme alimentaire, une aliénation alimentaire, un suicide alimentaire. Le pain est tout ce que vous voulez, sauf une denrée de subsistance pour nous. On n'est pas au Sahara. Ici, tu jettes n'importe quelle graine par terre et sans même te baisser une seule fois dessus, elle devient un baobab en six mois ! Imaginez tout ce qu'on pourrait faire avec tout l'argent du blé qu'on donne à des paysans blancs ?» Vraiment, Ossiri aimait cette sensation de vertige sous les silos.

Puis il passait derrière le bâtiment, là où il y avait les rails du chemin de fer. Les trains entraient et sortaient en gare d'Austerlitz en s'étirant dans d'horribles grincements métalliques : une bande-son infernale pour des images de fin du monde. En général, c'est là qu'Ossiri rencontrait des tagueurs en mal de murs. Il n'avait jamais eu de problèmes avec eux. Pour les « street artists », cela faisait partie du jeu : ils s'en allaient gentiment quand ils se faisaient prendre. Mais Ossiri leur expliquait toujours qu'ils pouvaient revenir parachever leurs œuvres le soir, à la fin de son service ; il savait que Kassoum, son remplaçant la nuit, ne faisait jamais de rondes. C'était sûrement pour ça qu'il y avait toujours des tagueurs et des grapheurs dans les parages. Sur certains murs, Ossiri vit ainsi grandir, parfois sur plusieurs semaines, de véritables fresques. Les artistes ici avaient visiblement bien plus de choses à exprimer que le laconique « nique la police » que Ossiri voyait sur les murs de certaines cités. Après la « galerie d'art », il prenait son temps pour faire le tour de la bâtisse par sa façade est. Le quartier à côté était un vrai champ de grues, une véritable piste de danse pour bétonnières. Un nouveau quartier poussait sur la rive gauche de la Seine. Immeubles de bureaux et d'habitations jaillissaient doucement du chaos des chantiers. On parlait même de recouvrir d'une grande dalle de béton les voies ferrées pour que les façades sud des bâtiments ne soient pas exposées à la pollution visuelle et sonore des nombreux trains de banlieue et de province. Pour sûr, ce ne seraient pas des pauvres qui allaient venir s'installer par ici. Ensuite, à travers un raccourci découvert par hasard un matin de ronde comme celui-ci, Ossiri se faufilait dans un dédale de couloirs ventés et se retrouvait dans la grande cour intérieure des Moulins. Fin de la ronde. La cabane de préfabriqué n'était plus loin. La cabane du vigile. La cabane de l'ennui. La cabane de l'affiche Western Union®.

«*Envoyez de l'argent au pays.*» La décision de venir en France, Ossiri l'avait prise tout seul. Il ne vivait pas du tout dans la misère à Abidjan. Son travail de professeur de sciences naturelles dans un lycée privé d'Abidjan lui procurait largement de quoi mener une vie relativement aisée. Jeune, célibataire, sans enfant, logé la moitié du temps chez sa mère, un salaire correct et tombant invariablement chaque 25 du mois, Ossiri était un bon petit fonctionnaire. Il regardait sa vie se remplir, sans un seul accroc, de certitudes et de chemins tracés. Et c'était justement ça qui l'avait effrayé. Précoce, il avait terminé très tôt ses études. À 23 ans, cela faisait déjà deux ans qu'il enseignait. Le cycle des cours qui se répétaient d'une année à l'autre ; l'attente des virements de salaire ; les virées nocturnes arrosées de bière, animées de blagues grasses et de filles faciles, avec des collègues qui avaient l'âge de sa mère ; des élèves qui parfois étaient à peine moins vieux que lui… Tout cela lui avait fait peur. On lui avait pourtant expliqué que cela allait s'arranger de façon naturelle, avec le temps. La différence d'âge entre lui et ses élèves ne pouvait que se dilater avec les années s'égrainant. Mais lui, il ne se sentait pas à sa place. L'appel du large était bien trop fort, bien trop insondable en son for intérieur. Au-delà de toute argumentation et de tout raisonnement scientifique, Ossiri voulait voir du pays. Loin. Quand il parla de partir, de tout quitter, on le traita de fou. Certains parlèrent même de sort, de puissant fétiche jeté contre lui par les éternels «jaloux-de-la-réussite-des-autres». Tout le monde essaya de le dissuader. Tout le monde, sauf sa mère. «Va, vois et reviens-nous !» lui avait-elle dit. Tout simplement. La France s'était imposée à lui comme une destination naturelle. Sa mère ne fit aucun commentaire. Le jour de son départ, elle griffonna un numéro et un nom sur un bout de papier. «*Ferdinand est un ami. Appelle-le quand tu arrives là-bas. Dis-lui que tu es mon premier fils. Il t'aidera, si tu en as besoin.*»

«*Envoyez de l'argent au pays.*» Les nuits d'hiver tombaient vite. Le panneau publicitaire baignait maintenant dans la lumière orange de l'éclairage public. Ce serait bientôt la fin d'un service commencé douze heures plus tôt, à 6 heures du matin. En général, les derniers moments, ceux pendant lesquels Ossiri attendait impatiemment qu'on vienne le relever, étaient les plus terribles d'ennui. Mais le temps s'écoulait vite quand il repensait aux jours traumatisants qui avaient suivi son arrivée à Paris. Les quatre premières semaines, il avait connu les joies du canapé : se coucher après tout le monde, se lever avant tous. C'était dans l'appartement de Thomas, un vieil ami. Thomas vivait en France depuis près de dix ans. À son troisième enfant, les services sociaux avaient fini par lui trouver un HLM dans le quartier des Courtilleraies au Mée-sur-Seine, l'avant-dernière station du RER D, à plus de 40 kilomètres au sud de Paris. Le quartier était constellé de petits bâtiments aux formes angulaires aiguës enchevêtrés dans une nasse de ruelles zigzaguant selon une logique quasi mystique. Visiblement, les urbanistes qui avaient dessiné les plans des Courtilleraies ne buvaient pas que de l'eau claire. Il n'avait pas fallu plus de trente minutes de balade à Ossiri pour comprendre que la ville entière n'était rien d'autre qu'un dortoir géant. Il n'y avait rien à y faire sinon dormir et partir au travail, quand on en avait un. Pour se rendre à Paris en train, Ossiri payait le prix d'un billet Abidjan-Ouagadougou et mettait le temps d'un trajet Abidjan-Assinie[1] en voiture. Ses économies fondirent à grande vitesse. Son titre de séjour expira le jour même où il dépensa ses derniers francs français dans un paquet de cigarettes. «*À partir de ce paquet de Marlboro light, tu es sans filet de sécurité, mon pote.*» Ossiri se prononça cette phrase en regardant la tête de Saint-Exupéry sur son dernier billet de 50 francs disparaître dans le tiroir-caisse du bar-tabac. Il était désormais seul sur le fil tendu au-dessus du précipice de la «reconduite à la frontière».

Bannir un homme, l'éloigner de force de l'endroit où il vit et travaille, juste parce qu'un préfet ne lui a pas signé un banal papier, était une idée effrayante. Pourtant, Ossiri aimait beaucoup l'expression administrative correspondante : «Reconduite à la frontière.» Cela lui inspirait un voyage bucolique à travers prés et champs, accompagné par une cour joyeuse et bruyante, jusqu'à une frontière imaginaire pleine de mystères enchanteurs. Là-bas, tous les accompagnateurs chanteraient en chœur et en canon «ce n'est qu'un au revoir». L'accompagné – plutôt le «reconduit» – continuerait seul son chemin en écrasant une larme d'émotion. Aux antipodes de ce beau tableau idéal, la réalité nouvelle d'Os-

---

1. Assinie : village balnéaire du sud-est de la Côte-d'Ivoire, coincé entre fleuve, lagune et mer. Jean-Marie Poiré y a tourné *Les Bronzés*.

siri était qu'il se sentait désormais comme assigné à résidence au Mée-sur-Seine. Il ne pouvait pas se permettre de prendre le train sans payer. Toujours avoir son titre de transport était une prescription à respecter scrupuleusement quand on craignait la « reconduite à la frontière ». Thomas lui avait expliqué que le STIF[1] avait fait du réseau ferré de la région parisienne une vaste toile d'araignée optimisée pour piéger les « sans-papiers ». Avant de se faire « reconduire à la frontière », la plupart d'entre eux cherchaient d'abord à se conduire eux-mêmes quelque part sur un lieu de travail, chez des amis ou de la famille… sans titre de transport.

Quand Thomas et sa femme étaient au travail, Ossiri faisait de grandes balades à pied dans la ville du Mée-sur-Seine. Observant les constructions modernes, il se disait que si elle avait été construite telle quelle en Afrique, cette ville aurait été un ghetto entièrement réservé aux riches. Ici, c'était un parc pour smicards, chômeurs et abonnés aux prestations sociales. C'était une espèce de « non-ville », un « lieu-dit administratif » sur une carte, une zone délimitée dans l'immense jungle urbaine protéiforme dont Paris était le lointain centre. Ossiri y ressentait comme une ambiance de camp de

1. Société des transports d'Île-de-France.

concentration. Il rencontrait toujours les mêmes personnes ou plus exactement les mêmes types de personnes. Dans ce «non-quartier» de cette «non-ville», ses «codétenus» se partageaient plus ou moins équitablement entre nègres, Arabes et Blancs. C'étaient tous ceux que le système exploite en les maintenant en vie juste ce qu'il faut pour qu'ils travaillent et consomment sans se plaindre. Tous, ils tournaient en rond autour de deux points névralgiques : la gare RER et le grand café-bar-tabac-PMU. Ossiri ne supportait pas ces lieux de misère, même quand il avait quelque chose à y faire. Il préférait se perdre dans ses pensées dispersées en fumant des cigarettes sur un frêle pont piéton élancé au-dessus des voies ferrées. Il s'arrêtait souvent en son milieu et, juste sous ses pieds, les massives locomotives électriques de la classe BB, lancées à plusieurs dizaines de kilomètres-heure, faisaient un bruit assourdissant et créaient des tremblements de terre en tirant d'interminables wagons de passagers ou de marchandises. Ces mini-séismes, associés aux gerbes d'étincelles provoquées par le frottement des pantographes filant sur les lignes à haute tension, représentaient dans l'univers mental d'Ossiri une sorte de spectacle féerique qui le subjuguait littéralement. Les trains disparaissaient dans une grande courbe droite en direction de Paris, ou derrière un bosquet d'entrepôts vétustes en direction de Melun. Sur ce pont, Ossiri passait parfois des heures entières, engouffré dans les nombreuses questions qui volaient à tire-d'aile sur son avenir de «sans-papiers» en France. Un jour, en regardant passer le Auxerre-Paris de 16 h 42, il se souvint que dans son porte-monnaie, il y avait toujours le papier que lui avait griffonné sa mère. Il se décida à appeler Ferdinand.

Le voyage jusqu'à Chaville fut l'un des plus anxiogènes de sa vie. Comme il ne pouvait pas payer son titre de transport, Ossiri avait sauté les tourniquets. «Tran-sport public!», comme on dit à Abidjan. À chaque soubresaut du train, ou bien chaque fois que plus d'une personne s'engageait dans le compartiment où il était assis les fesses serrées, il s'imaginait qu'une patrouille de contrôleurs venait le cueillir pour le livrer aux policiers spécialistes en «reconduite à la frontière». Ossiri n'était plus si sûr que le voyage soit bucolique et qu'il y ait une chorale comme dans ses pensées. L'apparition de la pancarte «Chaville» fut d'un grand soulagement. Ferdinand lui avait dit au téléphone qu'il l'attendrait sur le quai même de la gare. Il n'eut aucun mal à le reconnaître. C'était le seul homme noir sur le quai et, quand on venait du Mée-sur-Seine, ce genre de détail se remarquait. Ferdinand était un homme petit et souriant. À part un nez trop gros, tout chez lui respirait la discrétion. Ils montèrent dans une vieille 205 GRD bordeaux comme un verre de vin sur quatre roues. Il y avait une forte et désagréable odeur de chien à l'intérieur. Heureusement, en moins de cinq minutes, ils s'arrêtèrent devant un superbe pavillon planté au milieu d'une rue très pentue. Odette, la femme de Ferdinand, était aussi petite et très souriante. Ils mangèrent à trois devant une grande télé allumée. Une salade frisée aux lardons, ensuite une blanquette de veau, puis un camembert à l'odeur répugnante mais absolument délicieux. Il y eut même un dessert de poires sur lesquelles coulait une robe de chocolat noir. Son premier déjeuner entièrement gaulois depuis son arrivée !

Ferdinand parla de la mère d'Ossiri avec beaucoup de nostalgie. Il raconta, timidement mais avec assurance, les vingt-cinq ans qu'il avait passés en France. À son arrivée, grâce à « tonton André », il avait obtenu un poste de vigile aux Grands Moulins de Paris. Il avait toujours travaillé « avec sérieux » et était « très apprécié » de ses patrons. Au bout de quinze ans de fidélité et de loyaux services, il avait été encouragé à monter sa propre société de sécurité. Il sous-traitait les contrats que lui décrochaient ses anciens patrons, qui eux-mêmes sous-traitaient des contrats qu'ils avaient obtenus de boîtes de sécurité encore plus grosses.

« *Mon petit, moi, je suis le petit patron en bout*

de chaîne. Je trouve les agents, je fais les plannings, je paye tout le monde, je prends les risques, bref, c'est moi qui fais le boulot. Mais ça ne me dérange pas, tant que j'y trouve mon compte et tout le monde avec moi. Je suis toujours réglo avec mes agents et je les paye en temps et en heure, même si je sais qu'ils sont sans-papiers. On ne peut pas dire de même pour beaucoup d'Ivoiriens qui ont des boîtes de sécurité comme moi. Tu le comprendras plus tard. D'ailleurs, je paye tout le monde en liquide parce qu'avec les chèques ou les virements bancaires, les travailleurs se font souvent arnaquer. Leurs soi-disant frères ou amis dont ils empruntent les papiers, et les coordonnées bancaires dans la foulée, ne sont jamais pressés de leur reverser le fruit de leur "labeur". De mes patrons jusqu'à la préfecture de police, tout le monde sait que j'emploie des gens qui n'ont pas de papiers et tout le monde ferme les yeux parce que ça arrange tout le monde. Mais moi, je me couvre quand même. J'exige toujours une photocopie d'un titre de séjour valable, peu importe d'où il vient. On va dire que comme je suis très myope, je ne vois pas bien si le gars est ressemblant avec la photo.»

Et Ferdinand partit dans un rire qui avait quelque chose d'enfantin, de naïf, en parfait contraste avec la dureté des propos qu'il venait de tenir. Puis il continua dans un registre moins cynique : «*Je peux te donner du travail, en espé-*

rant que tu sois aussi bosseur que ta mère… » Tout le reste du discours de Ferdinand, Ossiri ne l'entendit plus. « Travail » avait déclenché dans sa tête le signal du fol espoir de l'autonomie financière retrouvée, de la révolution qui allait guillotiner les régents de son ennui méen. Pas de tête, pas d'oreilles. Ferdinand avait beau convoquer à la table tous les vieux souvenirs les plus cocasses de sa vie parisienne, Ossiri n'entendait plus rien. Il se projetait déjà dans les premiers achats qu'il allait faire avec son premier salaire. Cela lui rappelait les souvenirs de son incorporation dans la fonction publique ivoirienne. Pour meubler la conversation avec Ferdinand, Ossiri avait enclenché son « pilote automatique ». Il plaçait, à plus ou moins bon escient, des mouvements de tête pour marquer une approbation, des « ah bon ? » qui relançaient une anecdote, et surtout, il accompagnait les rires en se tapant les cuisses pour se tenir éveillé. Car en plus d'être obnubilé par la promesse de travail, Ossiri avait sommeil. Pour quelqu'un qui avait mangé toute sa vie durant principalement du manioc, des bananes et des ignames, la blanquette de veau était une vraie épreuve de digestion. Le foie mobilisait tout ce qu'il disposait d'énergie et de sucs pour arriver à bout du mélange de farine, de beurre et de crème qui avait habillé les gros cubes de veau. Ossiri somnolait en piquant régulièrement du nez. Odette avait depuis longtemps disparu dans la cuisine d'où s'échappait de temps en temps le tintement de couverts en bataille dans du liquide vaisselle. On pouvait trouver Ossiri totalement malpoli de dormir lors de ce tête-à-tête. Mais Ferdinand lui parlait-il vraiment ? Il se parlait à lui-même. Il se remémorait à voix haute les meilleurs moments de sa vie, il retraçait tout le chemin parcouru depuis son village. Ossiri entendit indistinctement et pêle-mêle des choses sur le fameux choc pétrolier des années 1970, il entendit parler de moulins grands, de la messie ou du messie, il ne savait pas trop, et de toutes sortes de choses qui pour lui n'avaient pas un sens très clair. À la fin de la journée, quand enfin Ferdinand arrêta de parler, il lui donna trois billets de 100 FF. « *Pour tenir le coup en attendant…* » lui avait-il ajouté. Une fortune !

— *Où est-ce que tu dors ?*
— *Le Mée-sur-Seine.*
— *C'est vers Melun, ça, non ?*
— *La dernière station avant.*
— *C'est loin ça, mon petit.*
— *…*

Alors Ferdinand décrocha un téléphone rouge estampillé de l'esperluette de « France Télécom ». Il parla de la mère d'Ossiri avec un certain Jean-Marie. À la fin de la communication, il lui dit sur un ton très paternel : « *Mon petit, tu ne peux pas rester si loin en banlieue. Je ne peux pas t'héberger chez moi non plus. Tu dois faire ton propre chemin. Jean-Marie a une chambre pour toi à la MECI. Il ne te la louera pas très cher. Il connaissait très bien ta maman. Ils ont beaucoup milité ensemble à l'époque. Demain à 6 heures, tu commences le boulot. C'est à Paris même. Métro Tolbiac, quai Panhard-et-Levassor. Tu ne peux pas louper les Grands Moulins de Paris.* »

« *Envoyez de l'argent au pays.* » Des volets de tôles peintes en une succession de bandes vert fluorescent et gris ciment jouaient le rôle prétentieux de mur d'enceinte de l'ensemble du site. Un grand portail métallique branlant, braillant et coulissant, faisait office d'entrée principale. Il laissait passer l'équipe de relève ou quelquefois d'énormes camions qui venaient débarrasser l'ex-usine de ses carcasses de fer et de béton. Mais à cette heure-là, quand le portail couinait et glissait, manœuvré depuis l'extérieur par un homme noir habillé dans une combinaison noire, c'était une 205 GRD, le verre de vin à roues, qui faisait son entrée. La relève. La vieille voiture de Ferdinand était en quelque sorte la « command car » de sa société. Il déposait lui-même certains agents spéciaux sur leur site de travail. Ici, c'était

Kassoum et Joseph. Depuis onze mois qu'Ossiri travaillait sur ce site, le ballet de cette relève était aussi parfaitement rodé que celui des gardes du château de Windsor, le petit pied-à-terre de la reine d'Angleterre. La voiture se garait devant la cabane du vigile. Ossiri descendait serrer la main de Ferdinand. Il lui faisait un rapport oral qui n'avait encore jamais dépassé les trois lettres R.A.S. Puis il ouvrait la porte arrière de la voiture pour en laisser descendre un Joseph impatient. Ferdinand repartait aussitôt parce qu'il avait d'autres agents spéciaux à prendre. Sa société de sécurité croulait sous les contrats de sous-traitance. Ensuite, Kassoum refermait avec autorité le grand portail. La 205 GRD s'élançait sur la « quatre voies » du quai Panhard-et-Levassor en crachant une volute de fumée noire sur le panneau publicitaire de Western Union ®. « *Desserre les fesses, Joseph ne va pas te manger !* » C'était toujours la même blague que Kassoum sortait avant de lui reprendre la laisse en cuir de Joseph. C'est vrai qu'Ossiri n'était pas du tout à l'aise avec le canidé géant. Le bas-rouge lui arrivait presque à la poitrine et, malgré la solide muselière, Ossiri se disait qu'on ne pouvait pas faire confiance à un chien que son maître avait baptisé Joseph en l'honneur de Staline, Mobutu et Kabila, trois dictateurs partageant le même prénom et un certain sens de la cruauté.

Ossiri s'en allait toujours très vite après le départ de Ferdinand. Kassoum s'enfermait dans la cabane de vigile avec une télévision portative qu'il n'oubliait jamais de rapporter avec lui. Ensuite, il ne sortirait plus que pour remplir l'assiette de Joseph avec des croquettes lorsqu'il l'entendrait aboyer trop fort et trop longtemps. Berger de Beauce était l'autre nom des basrouges. La Beauce, la région de France où l'on cultivait les tonnes de blé qui avaient alimenté ces grands silos désormais démantelés. La nuit, les ruines des Grands Moulins de Paris devenaient le royaume de Joseph, le berger de Beauce. Cette ironie fit sourire Ossiri. Il passa devant le panneau de Western Union ® en direction du pont de Tolbiac. Malgré le froid, il traînait le pas. Il n'était pas pressé de retrouver la MECI. Depuis qu'il avait quitté le Mée-sur-Seine, il vivait boulevard Vincent-Auriol, au cœur même de Paris, dans cet incroyable taudis. La MECI n'était déjà plus, depuis bien longtemps, une maison d'étudiants. Elle n'était même plus une maison du tout.

Pause

Muret de marbre

C'est le lieu idéal pour la pause. Situé en face de l'entrée d'une galerie commerciale, il sépare l'immense trottoir des Champs-Élysées et l'entrée du parking souterrain « Vinci ». Le vigile s'assoit sur le muret de marbre pour regarder défiler d'un côté la faune de bipèdes, de l'autre celle des quadricycles. À la pause, le vigile change de vigie.

Défilé

En une heure de pause, il s'est enterré dans le parking souterrain « Vinci » exactement : une Maserati, deux Porsche, une grosse Mercedes AMG 63, une Ferrari rouge, une Ferrari jaune et trois BMW X6. Soit de quoi construire à Gagnoa un hôpital régional entièrement équipé, payer les salaires du personnel et distribuer gratuitement des médicaments pendant un an. Et encore, n'ont pas été prises en compte les Peugeot, Renault, Volkswagen, Audi, Ford et autres voitures classiques de ville.

Fast GAB

Sept secondes, composition du code comprise, c'est le temps qu'il faut à un guichet automatique de la HSBC des Champs-Élysées pour cracher 20 euros. Au Crédit Lyonnais de la rue Louis-Bonnet à Belleville, la même opération prend 43 secondes ! Aux Champs-Élysées, l'argent est vite donné, mais aussi vite dépensé… Dans les quartiers pauvres, même les distributeurs automatiques hésitent à vous refiler de l'argent.

Rose du Kashmir

Devant l'entrée d'une galerie commerciale, un vieil homme ventru, en tenue traditionnelle indienne, se tient debout, immobile, une pancarte au bout du bras : « *Rose du Kashmir, spécialités indiennes et pakistanaises.* » À Paris, la volonté d'indépendance du Kashmir s'est transformée en rose en mélangeant l'Inde et le Pakistan dans la même assiette. Le mahatma Gandhi aurait aimé les Champs-Élysées.

Agité du moignon

Un mendiant de type tzigane se met par terre et expose son moignon de pied gauche. Il est très excité, n'arrête pas de bouger dans tous les sens et de parler un sabir incompréhensible la plupart du temps. Il couvre d'insanités et de grossièretés les autres mendiants tziganes qui osent pénétrer dans un périmètre imaginaire dont lui seul connaît les limites.

Pêcheur de cigarettes

Sur un bout de trottoir des Champs-Élysées, un homme est assis sur un tabouret à côté d'un chien bâtard indolent. Avec le visage calme et patient du pêcheur du dimanche, il tient sereinement une longue canne à pêche. Au bout de sa ligne, il y a un petit seau dans lequel s'amoncellent les cigarettes que lui laissent les passants.

Ce pêcheur de cigarettes a tellement de succès qu'il est obligé de vider son petit seau tous les quarts d'heure. S'il les fume toutes, il ne devrait pas passer l'hiver. S'il les vend toutes, il devrait passer l'hiver aux Bermudes.

Pause

Dans le jargon des vigiles, « faire une pause »,

c'est aller remplacer un collègue dans une autre boutique pendant le temps de sa pause. Ainsi, tout en grattant une heure supplémentaire de vacation, on rend service à un collègue. C'est aussi un moyen pour le vigile de découvrir d'autres magasins.

Pause chez Zara Champs-Élysées

Dans ce magasin, on trouve les habits des hommes au sous-sol, ceux des femmes au rez-de-chaussée, et le 1er étage est réservé aux vêtements d'enfants. La femme est au-dessus de l'homme et l'enfant est au-dessus de tout le monde.

Pause à la Défense

À Sephora la Défense, le chef des vigiles est un Ivoirien entre deux âges que l'on surnomme Éric-coco. Il est complètement possédé par l'esprit de Chanel.

— *Pendant que je suis au fond, toi, tu ne perds pas de vue les Chanel. Surtout les 5 à 6.8 fl oz.* (Éric-coco, frénétiquement.)

— *Pardon ?* (Le vigile.)

— *Les gens aiment voler la grande* Numéro 5. *Et puis aussi l'Allure 3.4 fl oz. Il faut absolument empêcher ça.*

— *Et qu'est-ce que c'est, les trucs dont tu parles ?*

— *Mais c'est les Chanel, nom de Dieu !* Chanel numéro 5 et Allure *de Chanel. Du parfum. Du vrai. Tu crois que tu es ici pour quoi ? Pour empêcher qu'on vole les mascaras à 10€ ou les pauvres Cacharel à 30€ ? Arrête-toi là et ne bouge plus. Si on en perd un seul, tu ne viens plus dans mon magasin.* (Éric-coco, en plantant le vigile devant le rayon Chanel.)

Pause à Levallois-Perret

Dans cette banlieue parisienne à prétention bourgeoise, Sephora se trouve au centre-ville, piéton et pavé, avec toutes les autres enseignes de faux luxe et de fausse culture. Le magasin n'est pas très grand et tous les rayons sont à portée de rétine du vigile sans aucun effort de torsion du cou. À l'intérieur, l'ambiance est très feutrée et les gens chuchotent pour se parler, peut-être de peur de déranger les sacro-saints parfums ou bien pour éviter de faire bouger les compositions chimiques avec des éclats de voix. Dans ce genre d'atmosphère, les vols sont très rares et la principale prouesse du vigile consiste à ne pas dormir debout.

Pause à Vincennes

Le magasin est quasiment au pied du château de Vincennes. À l'époque où il était habité par des Louis à numéro, les toilettes corporelles et les bains étaient rares. Ils auraient apprécié la présence d'un Sephora.

Culture et surgelés

Sur les Champs-Élysées, le Virgin Megastore se trouve au-dessus du Monoprix. Le plafond des surgelés est le plancher du rayon des livres. Le filet de cabillaud surgelé d'Alaska prédécoupé *Queens Ocean*, juste en dessous d'un Anna Gavalda : rencontre des fadeurs.

Police partout

L'avenue des Champs-Élysées est remplie de policiers en civil. Ils portent tous un blouson, quelle que soit la saison, et arborent des écouteurs blancs branchés à des iPhone sur lesquels ils font défiler en temps réel, ô progrès, les photos de suspects recherchés. Ils sont reconnaissables à des kilomètres, mais se croient absolument discrets. Comme on dit à Assinie : « *Tout le monde voit le dos du nageur, sauf lui-même.* »

14 Juillet

Des militaires en armes descendent l'avenue au pas. En bas, c'est la place de la Concorde, où tout ce que la République compte d'irresponsables politiques est sagement assis dans des tribunes montées en kit. Il ne va même pas venir à l'esprit d'un seul de ces crétins armés de faire place nette. Pourtant, il y a déjà eu un précédent : Anouar el-Sadate. Ça date de 1981 en Égypte. Les fusils de parade chargés de balles réelles, quelques troufions avaient soulagé les Égyptiens de leurs dirigeants au cours d'un défilé similaire. Sadate et quelques-uns de ses ministres y avaient laissé la vie. Ils ont été très vite remplacés par Moubarak et sa clique. Aujourd'hui, avec les manifestations sur la place Tahrir et le cortège de morts civils qui les accompagnent systématiquement, il semble que les Égyptiens aient choisi des méthodes plus masochistes pour l'alternance du pouvoir.

14 juillet 2

L'obélisque de la Concorde est la bite dressée, l'Arc de triomphe est le trou du cul, et les Champs-Élysées la raie érogène qui relie les deux. Avec ces militaires et ces politiciens qui frétillent en tous ces points, on peut dire qu'aujourd'hui, la République se branle.

14 juillet 3

Le plus étonnant ne se trouve pas dans la parade de tous ces engins de mort. Le plus étonnant est dans ce public qui l'applaudit.

Super vigile

Ennui, sentiment d'inutilité et de gâchis, impossible créativité, agressivité surjouée, manque d'imagination, infantilisation, etc., sont les corollaires du métier de vigile. Or militaire est une forme très exagérée de vigile.

Formation de vigile

Pour exercer, tout vigile doit avoir une autorisation de la préfecture. Et il existe désormais une indispensable formation de vigile. Un diplôme pour gagner le droit de rester debout douze heures payées au SMIC horaire, dans un Franprix ou un Ed miteux de banlieue, avec pour mission d'empêcher les enfants de chaparder des canettes de cola… En réalité, ladite formation consiste à connaître l'article 53-73 du code de procédure pénale. Comme dans toutes les proses juridiques, les phrases sont complexes et grandiloquentes pour ne dire au final que des choses très simples. Le « 53-73 » parle des flagrants délits et dit à peu près que lorsqu'on surprend quelqu'un en train de voler, on peut le traiter de voleur et lui courir après. Oui, citoyens, selon la loi, nous sommes tous des vigiles.

Retour à Sephora les Champs-Élysées

Rebelle

Une femme intégralement voilée porte un petit panier dans lequel est posée la bouteille de parfum *Lady Rebel* de Mango.

Révolutionnaires

Tellement heureux de la « révolution » qu'ils ont déclenchée chez eux et de la chute du dictateur Ben Ali, des bataillons de jeunes Tunisiens ont pris d'assaut la Méditerranée pour se retrouver en France. Très peu éduqués, parlant à tâtons la langue de Jamel Debbouze, livrés à eux-mêmes, ils vivent à Paris de la même façon que dans leur ghetto de Sousse ou de Tunis : entre oisiveté et petits larcins. Pour eux, le summum de l'élégance et de la mode, c'est d'être habillé comme les jeunes des banlieues françaises. Mais ils n'ont ni l'attitude ni le langage qui vont avec et sont donc facilement reconnaissables.

Les vigiles les ont surnommés les « révolutionnaires ». Ce qui parfois est à l'origine de phrases cocasses dans les oreillettes.

— *Attention, il y a trois révolutionnaires qui tournent au maquillage !*

— *Révolutionnaire manifeste au rayon des grandes marques.*

— *Une barricade devant le révolutionnaire à la casquette rouge. Il a chargé un parfum dans son slip.*

Only the brave

Un « révolutionnaire » s'est fait surprendre en flagrant délit de vol. Tant qu'il ne sort pas du magasin, il ne peut être ni contrôlé ni considéré comme voleur. Mais s'il se débarrasse ostensiblement des parfums dont il a éventré les paquets, il va être obligé de les payer. S'ensuit une course-poursuite surréaliste pendant laquelle vigile et voleur marchent tranquillement côte à côte dans le magasin. Au bout de plusieurs dizaines de minutes de cet invraisemblable jeu, le « révolutionnaire » craque et demande verbalement, à haute et intelligible voix, sa propre arrestation. Il avait dans le pantalon deux bouteilles de parfum en forme de coup de poing : Diesel, *Only the Brave.*

Dialogue

— *Avec votre costume noir, vous ressemblez à Samuel L. Jackson dans* Jackie Brown. (Un homme s'adressant au vigile dans un grand sourire satisfait de lui.)

— *Vous voulez plutôt parler de* Pulp fiction. (Le vigile.)

— *Hein ?*

— Pulp fiction.

— *Non,* Jackie Brown, *le film où il y a la jolie nana black là.*

— *Samuel L. Jackson ne portait pas de costume noir dans ce film-là, monsieur. Il avait une veste ringarde vert fluo et portait toujours une casquette Kangol à l'envers. Mais par contre dans* Pulp fiction…

— *Ah bon ? Vous connaissez le cinéma, vous ?*

L'homme, dubitatif, continue son chemin dans une allée.

Léopard

Sacs, pantalons, foulards, voiles, chaussures, écharpes, robes, etc., le motif léopard semble être à la mode chez un grand nombre de femmes. Des millénaires d'évolution pour avoir un pelage de camouflage parfait dans la forêt, aujourd'hui galvaudé pour se faire remarquer le plus possible en ville…

Léopard, noble félin, toi le grand chasseur
qui ainsi t'habillais par discrétion au cœur
de ta vierge forêt, invisible des proies
Sache que de nos jours, les humains femmes croient
qu'elles peuvent mieux que toi. Vêtues de ta robe,
elles courent la jungle urbaine, chassent l'homme.

Théorie de l'altitude relative du coccyx

Une théorie lie l'altitude relative du coccyx par rapport à l'assise d'un siège et à la qualité de la paie.

Elle peut être énoncée comme suit : « Dans un travail, plus le coccyx est éloigné de l'assise d'une chaise, moins le salaire est important. » Autrement dit : le salaire est inversement proportionnel au temps de station debout. Les fiches de salaire du vigile illustrent cette théorie.

Liliane et Bernard

Liliane Bettencourt est l'actionnaire majoritaire de L'Oréal, propriétaire de plus de 80 % des marques de parfums et cosmétiques vendus à Sephora.

150

Bernard Arnault est l'actionnaire majoritaire du groupe LVMH, propriétaire de l'enseigne Sephora.

Comme un vieux couple d'artisans, Liliane prépare dans l'arrière-cuisine les mixtures que Bernard vend en boutique.

Idée rassurante

Même dans des proportions infinitésimales, le travail du vigile contribue à la richesse de Bernard et de Liliane.

Idée déprimante

Sans le travail du vigile, la richesse de Bernard et de Liliane ne peut être affectée, même dans des proportions infinitésimales.

Pff!

Souffler ostensiblement en gonflant les joues et en faisant la moue, est-ce seulement parce qu'on est exaspéré? Ou parce qu'on veut montrer alentour qu'on est exaspéré? Ou les deux? Dans tous les cas, c'est souvent ce que font certains hommes à l'entrée avant de suivre leur femme dans le magasin.

Sens

Dans les allées des parfums, l'éclairage est feutré. Privilégier l'odorat.

Dans les allées des maquillages, l'éclairage est vif. Privilégier la vue.

Partout, la musique est nulle. Privilégier la surdité.

Portée dégressive

Dans le sens « Vue, Ouïe, Odorat, Toucher, Goût », les cinq sens ont une portée dégressive.

Portée agressive

Parfois, les enfants des Arabes du Golfe qui courent dans tous les sens dans les rayons font penser à cette insupportable peste d'Abdallah, le fils de l'émir Ben Kalish, dans *Tintin au pays de l'or noir*.

Le vigile et la princesse

Quand cette élégante femme arabe d'environ 50 ans, entièrement habillée à l'occidentale, est entrée dans le magasin, une rumeur s'est tout de suite répandue chez les vendeurs et vendeuses. Tous l'ont reconnue. Le vigile, lui, a juste remarqué que la femme est suivie par les deux gardes du corps les plus épais jamais rencontrés au nord du 33ᵉ parallèle. Alors, quand cette femme s'approche lentement de lui en le fixant et en lui parlant arabe, le vigile interrompt sa vie intérieure pour évaluer la menace potentielle des deux hominidés géants derrière elle. Ceux-là, d'un seul coup de poing, peuvent en principe éteindre toutes sortes de vies, intérieures ou pas.

— ميسو باش هنا (La femme.)

— *Son Altesse dit que vous êtes un beau jeune homme.* (Un des Mégasapiens.)

— … (Le vigile.)

— يبدو ومك كنت أعرف من فترة ط طويلة (La femme.)

— *Son Altesse dit que vous ressemblez à une personne qu'elle a connue il y a longtemps.* (Le Mégasapiens.)

— … (Le vigile.)

— خصوصا مع القليل له سكوسكة (La femme.)

— *Surtout avec votre petite barbichette.* (Le Mégasapiens avec un sourire.)

— … (Le vigile en se touchant la barbichette.)

— وهناكا الآباء الذين عاشوا في المملكة العربية السعودية ؟ (La femme.)

— *Son Altesse demande si vous avez des parents qui ont vécu en Arabie Saoudite.* (Le Mégasapiens.)

— Dites à Son Altesse que les seules dunes de sable que connaissent mes parents sont celles de la plage de Vridi à Abidjan, en Côte-d'Ivoire. (Le vigile.)

— نعرّف أنا والدي عليه للمال من الشاطئ. انا تأتي من ساحل العاج. (Le Mégasapiens à la femme.)

La femme retrousse ses lèvres en un magnifique sourire découvrant ses belles dents.

— (كنت مضحكة مثل الشخص كنت أعرف La femme.)

— Son Altesse dit que vous êtes aussi drôle que la personne qu'elle a connue. (Le Mégasapiens.)

— أشكركم على أخذ الوقت للتحدث معي (La femme.)

— Son Altesse vous remercie d'avoir pris le temps de lui parler. (Le Mégasapiens.)

Et la femme s'enfonce dans le magasin, sans plus un regard pour le vigile. Deux armoires à glace la suivent.

Le Premier ministre, le fils du président et l'argent des Saoud

Dans les oreillettes des vigiles :
— Devant les Givenchy, c'est Ousmane Tanor Dieng, un ancien Premier ministre du Sénégal. (Cheick, vigile sénégalais.)

— *Tu crois qu'il va nous voler un parfum ?*
(Sam, vigile congolais.)

— *Ah ah ah ! On va lui coller au pantalon.*
(Djab, vigile ivoirien.)

— *Et la présomption d'innocence ?* (Kaket, vigile camerounais.)

— *Il ne va rien voler. Il a déjà volé suffisamment pour s'acheter tout le magasin s'il veut.*
(Cheick, vigile sénégalais.)

— *C'est un champion alors. Il ne faut pas le lâcher d'une semelle.* (Djab, vigile ivoirien.)

— *Les rumeurs disent qu'il y a quelques années, le fils du président est parti en visite en Arabie chez les Saoud et a reçu une énorme somme d'argent en liquide pour on ne sait trop quoi. Au lieu de revenir directement au pays, il est passé par la France. À l'aéroport, des douaniers un peu zélés ont découvert la mallette de billets et ont mis en garde à vue le fils du président. Son père est vite intervenu et, pour éviter un incident diplomatique, il a été libéré mais la mallette, confisquée. Le fils n'avait aucune fonction officielle alors le président a chargé le Premier ministre de venir chercher l'argent en France en profitant d'une visite diplomatique. Quand il est rentré au pays, le Premier ministre aurait dit au président que la mallette était perdue. Purement et simplement. L'argent n'étant pas officiel, impossible de lui demander des comptes ou des explications pour éviter d'ébruiter l'affaire. Il paraît qu'il y avait plusieurs centaines de milliards de FCFA.* (Cheick, vigile sénégalais.)

— *Et la présomption d'innocence ?* (Kaket, vigile camerounais.)

— *La ferme, Kaket !* (Sam, vigile congolais.)

— *Cheick, libère la fréquence. Tu vas nous déprimer.* (Djab, vigile ivoirien.)

— *OK, OK, OK. J4 en casquette au make-up !* (Cheick, vigile sénégalais.)

Vigiles au cinéma

Dans les milliers de films d'action et de séries B réalisés depuis *L'Arrivée d'un train en gare de La Ciotat*, aucun vigile n'a jamais été un héros. Au contraire, ce sont eux qui meurent très vite et de façon anodine dans les plans d'attaque que monte le héros pour arriver à la grande bataille contre le méchant dans la scène finale.

Dans le *Scarface* de Brian De Palma, la scène finale, l'attaque de la maison de Tony Montana, est un parfait exemple de massacre de vigiles au cinéma.

Mitsubishi

À l'entrée du magasin, au-dessus du portique électromagnétique, donc en face du vigile, il y a quatre larges écrans plats fixés en damier sur le mur. Ils diffusent en boucle et en quadruples exemplaires synchronisés des spots publicitaires des parfums Giorgio Armani et Dior.

<u>Publicités Armani</u> Tournées en vidéo HD, scénarios impressionnistes avec flashes, plans serrés, clairs-obscurs, décors artificiels, ralentis haute définition, abdominaux sculptés, bouches pulpeuses, regards ténébreux, mains caressantes, baiser final, le tout en un film de 23 secondes comptant exactement 18 plans.

<u>Publicités Dior</u> Tournées en pellicule, grain dans l'image, scénarios classiques alternant plans larges et serrés, bouches pulpeuses, regards ténébreux, mains caressantes, baiser final, le tout en exactement 20 plans pour un film de 23 secondes.

Les écrans diffusant les publicités sont frappés du trèfle de la marque Mitsubishi qui, il y a longtemps, fabriquait des moteurs de porte-avions et des avions de guerre, les fameux et très redoutés « Zéro » japonais de la Seconde Guerre mondiale. Il y avait donc un temps où Mitsubishi fabriquait des machines ayant pour but extrême que les Japonais ne soient pas envahis par des publicités de Dior ou Armani.

Théorie du PSG

À Paris, dans tous les magasins ou presque, tous les vigiles ou presque sont des hommes noirs. Cela met en lumière une liaison quasi mathématique entre trois paramètres : Pigmentation de la peau, Situation sociale et Géographie (PSG).

On en tire la théorie du «PSG restreint» énoncée comme suit : «*À Paris, la concentration élevée de mélanine dans la peau prédispose particulièrement au métier de vigile.*»

Mais partout dans le monde, situations administratives, idées reçues, niveau d'éducation, racisme assumé ou refoulé, contraintes économiques, etc., finissent toujours par imposer à des hommes possédant des situations pigmentaires particulières des situations sociales particulièrement peu flatteuses. C'est la théorie «PSG général».

En Occident par exemple, plus la concentration en mélanine dans la peau est élevée, plus la probabilité d'occuper une position sociale proche du néant est grande. Exception faite des Manouches. Eux, ce sont des hommes blancs mais leurs ancêtres ont dû massivement chier dans des sanctuaires mariaux et des basiliques pontificales. Cela a provoqué des malédictions en série sur toute leur descendance. Des dizaines de générations plus tard, les Gitans sont les seuls Blancs plus déconsidérés encore que les nègres. La courbe d'évolution de leur destin social, plaquée sur l'axe des abscisses, toujours très près du zéro absolu.

Dilution pigmentaire

Plus on s'éloigne de Paris, plus la peau des vigiles éclaircit vers le beurre. En province, loin, loin dans la France profonde, il paraît qu'il y a même des endroits où il y a des vigiles blancs.

Vente à la criée

Les vendeurs et vendeuses de Sephora touchent des primes sur les ventes des produits qu'ils représentent. Ils ont tous développé des techniques pour attirer les clients et les pousser à acheter tel parfum plutôt qu'un autre. La plupart d'entre eux se contentent d'asperger de parfum l'arrivant ou bien de distribuer des bandelettes imbibées en baragouinant aux clients un ou deux mots, au plus une phrase.

Mais un des vendeurs se distingue par sa technique. Comme il y a quelques décennies pour les journaux, il vend ses parfums à la criée en donnant un aperçu de ce qu'il y a dedans. Le vigile l'a surnommé le «Crieur».

Technique du Crieur

Voici l'intégrale de la criée du Crieur pour Narciso Rodriguez, son nouveau parfum de la semaine :
« Il est interdit d'interdire…

Narciso Rodriguez

Parfum excellence, parfum envoûtant, parfum lumière

Laissez-vous séduire par la sensualité du musc associée à la fraîcheur de la bergamote

Un accord floral ambré avec le baume de benjoin.

Il est interdit d'interdire...

Narciso Rodriguez

Parfum excellence, parfum envoûtant, parfum lumière

... ad lib. »

La semaine d'avant, il représentait *Bleu* de Chanel avec exactement le même texte, mis à part le slogan d'introduction et le nom du parfum :

« *Sous les pavés, la plage...*

Bleu *de Chanel*

Parfum excellence, parfum envoûtant, parfum lumière

Laissez-vous séduire par la sensualité du musc associée à la fraîcheur de la bergamote

Un accord floral ambré avec le baume de benjoin.

Sous les pavés, la plage... Bleu *de Chanel*

Parfum excellence, parfum envoûtant, parfum lumière

... ad lib. »

— Les gens qui viennent souvent ne t'ont pas encore grillé ? (Le vigile.)

— Bien sûr que non. Les gens ne comprennent rien et ne veulent rien comprendre. Ils veulent juste acheter. Ce qu'ils aiment, c'est la musique des mots. C'est pourquoi je suis très fier du « benjoin ». Ça sonne bien ça, non ? (Le Crieur.)

Le Crieur s'est confié. La semaine prochaine, il sera au stand Givenchy. Le texte commencera par : «*Soyons réalistes, demandons l'impossible…*» Son bréviaire des slogans soixante-huitards peut lui permettre de tenir plusieurs mois. Mais le vigile reste sceptique et ne croit pas que le Crieur osera pour Dior : «*Pendons la charogne stalinienne.*» Ou pour Yves Saint Laurent : «*L'art est mort, ne consommons pas son cadavre.*» Ou encore pour Kenzo : «*La barricade ferme la rue mais ouvre la voie.*»

L'attribut

Vigie, l'attribut de ceux qui restent debout.

La tribu

Vigiles, la tribu de ceux qui restent debout.

La pute, le travesti et la voilée

Autour de 1 heure du matin, les prostituées plus ou moins de luxe et les travestis qui officient sur les Champs-Élysées et alentour viennent affiner leurs odeurs et parfaire leur maquillage outrageux. Elles partagent les allées avec les femmes voilées, nombreuses à cette heure, on se demande toujours pourquoi. On les voit souvent discuter ensemble avec une grande complicité. La faible affluence de ces heures-là et la mystique de la nuit évaporent les barrières sociales, morales et religieuses. Les putes et les travestis vont bientôt retrouver leurs clients qui, pour certains, sont les maris des femmes voilées avec qui elles ont échangé des conseils de beauté.

Voleuses d'épilation

Dans le magasin, des maquilleuses proposent des épilations du visage. C'est seulement après la prestation que les clientes doivent s'acquitter de son prix en passant aux caisses. Des rombières à l'allure respectable s'adonnent régulièrement à ces épilations, tournent longtemps dans le magasin pour finir par « se faire oublier » et ainsi « oublier » de passer en caisse. Ce sont les voleuses d'épilation. L'oubli est leur argument systématique quand elles sont interpellées à la

porte. Chez la rombière du XVIe arrondissement, l'épilation des sourcils génère des troubles
passagers de la mémoire.

Voleur

Avec sa mèche brune parfaitement peignée
sur le côté, sa chemise gris bleuté bien repassée, son pantalon noir sans un faux pli qui descend sur des chaussures d'un noir brillant, il
ressemble à un Premier ministre britannique
en tenue décontractée. Pourtant, quelque chose
détonne dans ce portrait du parfait beau-frère.
Ce n'est pas normal de porter un sac à dos et un
autre sac en bandoulière quand on est habillé
comme pour présenter un PowerPoint à un
bureau de consultants en urbanisme. Et puis,
cet air détaché dans le stand Dior est un peu
surjoué. Parole de cinéaste. Cet homme-là est
« chargé ». Parole de vigile. Mais personne ne l'a
vu faire quoi que ce soit de suspect. L'oreillette le
confirme : « *R.A.S. pour le J5 encravaté au stand
Dior.* » Dior, c'est le premier stand en entrant, ou
le dernier en sortant. Entrer plus avant dans la
boutique ou sortir tout de suite ? Quelle direction prendra-t-il ? À force d'œillades appuyées,
c'est maintenant le vigile qui a une attitude
suspecte. Parole de voleur. L'homme reste où il
est. Il engage la conversation avec une des ani-

163

matrices du stand. À cette distance et avec cette insupportable musique de sous-doués, le vigile n'entend rien de ce qu'ils se disent. La vendeuse sourit. L'homme semble de bonne compagnie.

L'affluence est grande en ce début de soirée d'été et il n'est pas possible de concentrer son attention sur un seul homme. Un groupe entre. Ils parlent une langue aux accents slaves. Polonais ? Russes ? Tchèques ? Tous, ils ont les pieds recouverts d'une fine mais très visible couche de poussière blanche. Ils viennent sûrement du Louvre et la poussière, ils l'ont récoltée dans les allées du jardin des Tuileries. C'est le chemin pour les Champs-Élysées quand on vient du musée du Louvre et un grand nombre de touristes font le circuit à pied jusqu'à l'Arc de triomphe. Le McDo à côté de Sephora, c'est une de leurs étapes obligées après un tel parcours sportif. Les serveurs les surnomment les « pieds blancs ».

Une femme « pieds blancs » s'approche du vigile. Elle est accompagnée d'un enfant au visage boudeur qui tient au bout d'un bâtonnet en plastique un ballon en forme de Mickey Mouse hilare. Elle veut savoir où se trouve le métro. Le vigile le lui indique du doigt. « George-V » montre son trou béant 50 mètres plus haut : c'est la station la plus proche. Un coup d'œil par-dessus l'épaule de la femme et le vigile aperçoit l'homme à la mèche brune. Il sort en longeant le mur à l'opposé. Les deux regards se croisent. Les deux cerveaux comprennent. Un starter invisible et inaudible vient de tirer en l'air. Le départ de course de l'homme est fulgurant dans le sens de la descente de l'avenue. Le vigile a un temps de réaction de retard. Les longues heures de station debout raidissent les articulations. Son départ est pataud. Celui qui est désormais le voleur a déjà une dizaine de mètres d'avance. Il jette un coup d'œil derrière lui et constate que le vigile a engagé la poursuite. Pas de cris. Cela ne va pas se jouer à l'appel de la clameur publique. Ce sera une course-poursuite. Course pour le voleur. Poursuite pour le vigile.

Il y a du monde sur l'avenue. Le voleur se faufile, le vigile enquille. Aux 30 mètres, la biomécanique du vigile se réveille et l'écart fond. Le voleur le constate d'un deuxième rapide coup d'œil en arrière. Dans un geste d'une grande coordination physique, il ôte le sac en bandoulière de son épaule et le jette derrière lui sans ralentir. Délestage, ou sacrifice, ou les deux. Mais le vigile est lancé. Il a anticipé la manœuvre et enjambe le sac avant même qu'il n'ait touché les dalles de granit poli du trottoir élyséen. Le voleur continue de se faufiler. Le vigile continue d'enquiller. Plus vigoureusement. Dans cette marée humaine, cela fait le même effet qu'une moissonneuse-batteuse dans un champ de maïs un jour de récolte. Avec la vitesse et le vent de face, la cravate du voleur volette parallèle au sol, derrière sa nuque. C'est aussi le cas pour la cravate du vigile. *« Quand deux hommes en cravate courent dans la même direction, leurs cravates indiquent la direction opposée en décrivant des segments parallèles à la surface de la course »* : il faudra penser à noter ce nouveau théorème qui a giclé en même temps qu'une grande impulsion pour allonger la foulée, pense le vigile. Encore une poignée de mètres et le voleur sera à portée de main. Juste avant la rue La Boétie, ce serait parfait. Soudain, un feu tricolore passe au rouge et déclenche chez le vigile une réaction somme toute peu étonnante au regard du code de la route : il s'arrête. Mais c'est une coïncidence. Le feu rouge, c'est à l'intérieur du vigile qu'il s'est allumé. Et celui-là est encore plus péremptoire que ceux qui ornent ce carrefour. Quelle idée de poursuivre cet homme ? Et s'il est armé ? Et s'il est fou ? Et si c'est le vigile qui devient fou ? Quel genre de devoir remplit-on à poursuivre de la sorte un voleur de parfum ? Quelle idée de courir après quelqu'un qui a volé dans la boutique de Bernard, première fortune de France, une babiole ridicule produite par Liliane, septième fortune de France ? Un tel zèle, un tel manque de recul et de lucidité ! C'est probablement comme ça que l'on attrape le syndrome du « garde floko ». Le garde colonial avec sa matraque blanche, son sourire idiot, et sa chéchia… rouge. Rouge : il faut s'arrêter. Le voleur disparaît dans la foule. Le vigile revient sur ses pas. Dans le sac abandonné, il y a trois bouteilles de parfum : *Elixir for men* de Azzaro, Diesel *Fuel for Life*, *Allure* de Dior.

Quand s'arrête la musique 2

2 heures du matin. Le magasin ferme.

Une armée de nouveaux employés poussent des chariots remplis de produits et achalandent les allées et les présentoirs dévalisés pendant la journée. Des techniciens de surface, des TS, surfent avec de drôles d'engins sur les sols du magasin : nettoyeuses sur les carreaux, shampouineuses sur les tapis. Ils sont tous noirs, les TS (Cf. *Théorie du PSG restreint*.) Ils ramassent, rangent, astiquent, nettoient, dépoussièrent, shampouinent, essuient partout où il y a plus de deux centimètres carrés de surface plane.

David Guetta et les Black Eyed Peas libèrent enfin les enceintes acoustiques masquées dans le faux plafond. Aujourd'hui, Amy Winehouse est morte.

L'âge de plomb

Au début, comme tout le monde, Kassoum ne croyait pas du tout aux images qu'il était en train de voir. Il pensa d'abord que la petite télévision portative Haier déconnait. Tout le monde lui avait dit de se méfier des marques chinoises. Mais le vieil Asiatique en avait un carton entier et il les vendait 100 francs pièce au marché aux puces de Montreuil. Une petite télévision couleurs, facile à transporter, marchant aussi bien à piles que sur le secteur; impossible de trouver meilleur rapport qualité-prix. Kassoum n'avait pas hésité une seconde. Il n'avait jamais eu à le regretter et se prit même d'affection pour sa petite télé au point de lui donner le sobriquet de «Aya»[1]. Il lui suffisait de déployer la petite antenne argentée dans la bonne direction et les images apparais-

---

1. Haier, la marque chinoise d'électroménager, et Aya, un prénom féminin Baoulé très répandu, sont phonétiquement très proches.

saient aussi clairement que sur les grosses télés sophistiquées fabriquées en Europe. Ce n'était pas parce qu'Aya avait les yeux bridés qu'elle était aveugle. C'est vrai, il n'avait jamais vraiment réussi à capter France 2, France 3, la 5 ou Arte. Mais cela n'avait aucune importance car même quand il réussissait à attraper quelques furtives images enneigées de ces chaînes-là, elles ne disaient absolument rien de bon. C'étaient des chaînes de « parler-beaucoup ». Surtout leur Arte, là. Il y avait toujours des grosses têtes de Blancs qui remplissaient ton écran et chargeaient tes oreilles avec des discours longs comme des ténias. Au Colosse à Treichville, on avait appris à se méfier des « parler-beaucoup ». C'étaient toujours les escrocs les plus habiles de la ville. Si tu t'asseyais devant eux, ils pouvaient te vendre n'importe quoi et, avant que tu ne t'en rendes compte, tu n'étais même plus propriétaire du slip que tu portais. Aya captait parfaitement les deux seules chaînes qui comptaient pour Kassoum : TF1 et M6.

Mais alors, qu'est-ce qui arrivait à Aya ce matin-là ? Sur TF1 comme sur M6, l'image était exactement la même. Comme si les boutons du « 1 » et du « 6 » de la télécommande universelle avec laquelle il pilotait Aya s'étaient confondus en un seul. Certes, ces chaînes jumelles dans le racolage du plus grand nombre de « cerveaux disponibles » afin de placer leurs chapelets de publicités avaient tendance à se copier l'une l'autre. Mais à ce point-là, de mémoire de téléphile, cela ne s'était encore jamais fait. D'ailleurs, à cette heure-ci de l'après-midi, il devait y avoir un jeu télévisé sur TF1 et une série américaine sur M6, ou peut-être le contraire, Kassoum ne savait plus. Le choc peut-être. Au lieu de cela, l'une et l'autre antennes montraient un plan fixe sur deux géantes jumelles dominant la ville de New York. Dans un magnifique ciel bleu d'été indien, une des mégajumelles exhalait un nuage de fumée noire lui sortant d'un flanc. Et pendant qu'il alternait la touche 1 et la touche 6 pour comprendre ce qui se passait, Kassoum se demandait s'il avait vraiment vu un avion essayant de traverser l'autre grande jumelle dans une formidable boule de feu. Non, Aya déconnait. Là, comme ça, en direct… Non, Aya déconnait à plein tube cathodique ! Ça ne pouvait pas être la Troisième Guerre mondiale. Impossible. Kassoum savait que les Blancs faisaient toujours bien les choses. Pas comme ça. Pas sans débats à l'assemblée, sans palabres à l'ONU, sans conférences de presse, sans déclarations solennelles et tout le barnum pour se donner l'air de gens civilisés avant d'aller s'étriper comme des sauvages… Au bout de quelques minutes de cette hallucination, un journaliste, un mauvais stagiaire sûrement, parla de

171

plusieurs avions voletant dans les airs des Amériques, à la recherche de méthodes d'atterrissage aussi iconoclastes que celle que Kassoum venait de voir sur le visage cyclopéen d'Aya. Dans les studios de la « Une », on rappela Jean-Pierre Pernaut dont le JT de 13 heures était fini depuis plusieurs heures. Ah, enfin un vrai journaliste à l'antenne. On allait avoir de vraies informations, enfin. Kassoum ne remercierait jamais assez TF1 de ce geste. L'incrédulité et la confusion pouvaient quitter sa tête. Le Pernaut était là, exceptionnellement tard dans l'après-midi, mais il était bien là. C'est que l'affaire était vraiment grave. Le Pernaut se composa la tête des grands jours. Il avait l'air encore plus éploré et dégoûté que s'il annonçait qu'une bande de sauvageons arabes et nègres avaient brutalisé un pauvre retraité français pour lui arracher ses maigres rentes de vieillesse. « L'Amérique est attaquée par des terroristes arabes ! Avec elle, c'est l'ensemble du monde civilisé qui est touché par les coups de boutoir de la barbarie terroriste des Arabes… » : le Pernaut frappa très fort d'entrée. L'affaire était donc vraiment vraie. Cela se passait aux États-Unis d'Amérique. Deux tondus et trois pelés, armés de cutters, avaient déjoué tous les systèmes de sécurité, dribblé tous les services de renseignements, feinté toutes les officines d'espionnage, et transformé en bombes volantes des avions civils remplis d'humains et de kérosène, deux éléments naturels déjà particulièrement explosifs même pris séparément. Maintenant, en direct et en mondovision, ils jouaient à qui aurait l'atterrissage à la fois le plus original et le plus meurtrier. Un groupe de ces terroristes d'opérette aurait même réussi à jeter un énorme Boeing sur le Pentagone, le ministère de la Défense des United States of America. Le Pentagone, en principe l'un des endroits les plus sûrs au monde. Dans un documentaire sur M6, Kassoum avait vu que si une mouche, sans autorisation dûment remplie, avisée et signée, volait au-dessus du Pentagone, elle serait pulvérisée par des batteries antiaériennes à la précision chirurgicale. Et là, un zouave faisait des créneaux mortels dans le parking du Pentagone avec un Boeing entier ! S'il n'y avait pas eu Jean-Pierre Pernaut, Kassoum aurait vraiment cru que toute cette histoire était une blague de mauvais goût faite par des gens à l'intelligence de poulpe. La police togolaise aurait pu percer à jour un tel complot sans effort et sans être obligée de consulter un vodounsi[1]. Houphouët-Boigny lui-même, grand maître ès fabrication de complots factices contre son propre régime, aurait refusé de ses conseillers un tel scénario pour anorexie imaginative.

---

1. Chaman vaudou.

Pourtant, sur la «Une» comme sur la «Six», les tours jumelles fumaient, cadrées plein centre, en 16/9, par les caméras HD *broadcast* des régies télé de CNN, NBC, HBO, ABC, etc., toutes ces chaînes américaines avec des ATL, abréviations à trois lettres. Comme lorsqu'il se forme un attroupement après un accident de la route, avec Kassoum, toute la planète s'était transformée en voyeur télévisuel indécent du malheur des autres. Plan large : tableau irréaliste des tours fumant au milieu de la péninsule d'immeubles de Manhattan. Gros plan : impressionnantes volutes de fumée noire sur les façades des immeubles en flammes. Très gros plan : les flammes se propageant dans les étages situés au-dessus des impacts des Boeing, quelqu'un agitant un grand rideau blanc pour appeler au secours, des hommes en costume-cravate sautant dans le vide encore agrippés à leur attaché-case… Il y avait de l'horreur dans tous les plans. Alors les voix des commentateurs télé s'emballèrent en de longues périphrases remplies d'adjectifs qualificatifs. C'était le même genre de commentaires que lorsqu'un Ronaldo, un Pibe de Oro, un Romario, un Butragueño ou un Rivaldo s'approchaient balle au pied d'une surface de réparation footballistique. Télé-réalité. Terrible réalité. P-DG et femmes de ménage, golden boys et vigiles, coursiers et directeurs, tous ceux qui quelques minutes plus tôt n'avaient pas la même fortune partageaient désormais le même tragique destin dans deux identiques prisons de feu, de fer et de béton.

Kassoum ne tenait plus en place dans sa ridicule minicabane en préfabriqué, vigie pitoyable au milieu des carcasses et des bâtisses vides des ex-Grands Moulins de Paris. Et pour rajouter à la sinistrose, Joseph s'était mis à aboyer, à hurler à la mort. Avec ce qui se passait, Kassoum avait oublié de lui donner sa dose de croquettes. Pour faire taire le berger de Beauce, il se précipita dehors avec une double ration, traversant au pas de course la courette le séparant de la niche qu'il avait improvisée sous une sorte d'énorme soupirail. Kassoum remplit à ras bord l'assiette du canidé géant, refit le chemin inverse avec encore plus de célérité pour retrouver son hypnose télévisuelle. Mais quand il se posa à nouveau devant Aya, quelque chose avait changé. Un énorme nuage de fumée et de poussière recouvrait désormais les objectifs des caméras. Aya était aveuglée par une concentration particulièrement élevée de particules cendrées en suspension se déplaçant à la vitesse du souffle d'une explosion de plusieurs tonnes de TNT. Du documentaire certes dramatique mais relativement tranquille, on était passé au gros blockbuster estival, la superproduction hollywoodienne à grand spectacle. Sauf que là, Bruce Willis s'était planqué, Will Smith avait disparu, Arnold Schwarzenegger souffrait de myasthénie. Sous leurs regards impuissants, la première tour du World Trade Center, la première tour du Centre Commercial du Monde, était en train de s'effondrer sur ses longues jambes flageolantes, avec dans son ventre les milliers d'hommes et de femmes qui y étaient allés chercher fortune. À peine les poussières se dissipaient-elles que la seconde tour se mit à rapetisser dans un indescriptible fracas couvert par la voix d'une femme hurlant des «oh my god» hystériques trop près de la caméra principale, celle montrant les deux tiers supérieurs de la seconde tour, ce qu'on appelle dans le métier un plan américain. Ce cameraman-là ne se laissa pas contaminer par l'hystérie collective générée par cet ahurissant spectacle. Il resta stoïque. Il ne trembla pas, il ne fit pas comme les autres cameramen, à poursuivre la chute de la géante avec leurs objectifs remuant et dansant sous les pas désordonnés de leur fuite devant cet événement auquel aucun humain, fût-il étasunien, n'était préparé. Non, ce cameraman-là venait d'une autre planète. Ce cameraman-là ne cilla pas, son rectangle ne bougea pas. De sorte que c'est la tour qui progressivement coula hors du cadre, disparaissant lentement dans les énormes volutes de poussière créées par la pulvérisation des étages les uns après les autres. Sortie de champ. Majestueuse. Ainsi disparut la seconde tour.

Ironie du sort, la dernière chose qu'on ait vue d'elle, ce fut l'antenne de télévision qu'elle portait, fière, au-dessus de sa tête. Kassoum ne savait plus quoi penser. Pernaut et ses collègues reprirent la main. 3 000, 6 000, 10 000... commençait déjà la lugubre litanie des spéculations sur le nombre de morts ensevelis sous les décombres des jumelles fraîchement pulvérisées. Les experts accouraient donner leurs avis avisés sur les plateaux improvisés pour la circonstance. Pourtant, la réalité dépassait leurs scénarios même les plus fous. Ils n'avaient pas la modestie de le reconnaître. Et ils continuaient à se répandre en élucubrations anxiogènes. À force d'écouter ces sinistres experts en toutes sortes de choses, Kassoum sursauta d'effroi quand il entendit le couinement du portail coulissant de l'entrée des ex-Grands Moulins : la relève. Blouson bleu, pantalon noir, chaussures noires, Ossiri entra. Comme un enfant surexcité, Kassoum courut à sa rencontre.

« À partir de ce jour, le monde n'aura plus le même visage. Au plus tard dans une semaine, toi

et moi, on n'aura plus de boulot. En tout cas, plus avec l'oncle Ferdinand. » Voilà comment Ossiri conclut son raisonnement. Kassoum s'était laissé porter par sa voix calme, ses gestes assurés, son regard profond. Il l'avait écouté quasi religieusement. Être aussi lucide dans un tel moment... Kassoum avait toujours été fasciné par Ossiri. Le jour de son arrivée à la MECI, ce fut Jean-Marie lui-même, parrain du trafic des chambres, qui vint l'imposer dans les 9 mètres carrés de la chambrée 612 où ils étaient déjà trois personnes. Ossiri avait le regard perdu et on pouvait facilement lire dans ses yeux qu'il se demandait où il se trouvait. Qu'était cet endroit invraisemblable en plein Paris ? Dans quelle sorte de cauchemar surnageait-il ?

Kassoum avait vu beaucoup de nouveaux venus faire cette tête-là quand ils découvraient la MECI. Surtout ceux qui débarquaient directement de l'aéroport. Lorsqu'on quittait Abidjan pour Paris, on pensait quitter l'enfer pour le paradis. C'était le schéma mental de tout Abidjanais, candidat ou non à l'immigration. Après tous les sacrifices concédés, après tout l'argent distribué aux « canonniers » spécialistes en faux vrais papiers, après les longues et humiliantes queues devant les guichets du consulat de France, après la grande soirée organisée pour fêter le précieux visa Schengen, après les cérémonieux adieux et les interminables bénédictions qui vont avec... enfin arrivé à l'Eldorado, qui pouvait imaginer se retrouver dans un tel cloaque vétuste, insalubre, miteux et surpeuplé en plein cœur de la capitale de la Gaule ; un tel marais puant en plein cœur du « paradis » ? Un vieux Mécien[1] avait réussi à faire venir du pays sa fille de 13 ans. Il l'installa dans la suite « mécianique » qu'il partageait avec sa maîtresse, ses deux fils en bas âge, et le chien avec lequel il travaillait. Les suites « mécianiques » étaient les plus grandes chambres de la MECI. Avec salle d'eau et cuisine intégrées, elles frôlaient les 16 mètres carrés. En agençant bien quelques tableaux de contreplaqué bon marché, on pouvait les subdiviser en plusieurs compartiments afin de simuler un salon et une chambre, voire deux : le grand luxe. Passé l'euphorie et les vivats des retrouvailles, la jeune fille venue d'Abidjan n'avait pas pu se retenir de demander à son père à quelle heure il l'emmènerait enfin chez lui, dans sa vraie maison de Paris. L'histoire fit très vite le tour de tout le bâtiment et quelques-uns en attrapèrent des crampes aux abdominaux.

Kassoum, lui, n'avait jamais eu la tête du nouveau venu. Quand on avait vécu pendant onze ans au Colosse, l'un des pires ghettos des ghettos

_____
1. Habitant de la MECI.

de Treichville, tout autre endroit ne pouvait être qu'excessivement luxueux. Le Colosse, c'était un enchevêtrement de petits baraquements en bois agglutinés entre le ballast de la voie ferrée et les piliers du vieux pont Houphouët-Boigny qui enjambait le bras de lagune séparant le Plateau[1] et Treichville. Le pont avait deux niveaux. Au-dessus circulaient les voitures. En dessous, dans un long tunnel de béton armé, passait le train, l'unique train du pays. Au rythme d'une rotation toutes les vingt-quatre heures, il reliait Abidjan et Bobo-Dioulasso au Burkina Faso voisin. Commençant d'abord par des huttes précaires cachées au pied du pont, les désespérés, les laissés-pour-compte, les SDF, les SFR (sans foyer régulier), les cireurs de chaussures, les petits vendeurs et vendeuses ambulants, mais aussi les braqueurs, les petites mains du grand banditisme, les voleurs à la tire, les maquereaux et les putes bon marché, tous ceux pour qui le souffle de la manne cacaoyère ivoirienne était passé à des années-lumière, colonisèrent peu à peu le tunnel du train. À l'abri des regards se forma ainsi l'un des ghettos les plus terribles, l'un des coupe-gorge

---

1. Centre administratif et quartier des affaires. Dakar, Brazzaville ou Abidjan... l'administration centrale de beaucoup de capitales coloniales était au «Plateau», un quartier généralement situé en hauteur histoire de marquer son importance ou de voir venir !

les plus craints de la ville. Le pont et le tunnel protégeaient naturellement des intempéries, alors au Colosse, le dernier des soucis était de savoir où dormir et dans quelles conditions. Chaque jour, il fallait juste trouver sa pitance. Dormir était la pire des choses lorsqu'on était torturé par la faim. « *Qui dort dîne.* » Qui avait dit une bêtise pareille n'avait jamais été tenu éveillé par les contorsions et les hurlements de huit mètres de tube digestif rempli d'air. Celui-là n'avait jamais été réveillé en pleine nuit par l'appel bouillonnant d'un cerveau totalement soumis au diktat d'un ventre vide, commandant, exigeant de trouver de quoi manger, par tous les moyens nécessaires. Au Colosse, ce qui comptait, ce n'était pas où tu dormais. Ce qui comptait, c'était ce que tu faisais en ville avant de venir te réfugier au ghetto.

Kassoum arriva à la MECI avec des bagages qui ne remplissaient pas le sac en plastique Leader Price que lui avait prêté un cousin. Même s'il y avait déjà trois matelas disposés à même le sol, la chambre 612 lui fit l'effet d'un palace. Il montra tellement d'enthousiasme et de joie de vivre à la MECI qu'il fut très vite adopté par ses trois compagnons de chambre et par certains anciens de la résidence. Kassoum appelait tout le monde «vieux père». C'était une marque de respect à laquelle tout Ivoirien était sensible. Et dans les ghettos, on ne pouvait s'en sortir

181

qu'en multipliant les marques de respect aux « anciens », qui n'étaient pas forcément les plus vieux, mais surtout ceux qui étaient là avant toi et qui étaient censés savoir beaucoup plus de choses que toi. À la MECI, il n'y avait pas de braqueurs ou de « débalousseurs[1] », mais Kassoum avait vite compris que, comme le Colosse, la MECI était un ghetto. S'en sortir au ghetto, ça, il savait faire. Derrière des airs de petit naïf, il avait toujours deux longueurs d'avance sur tout le monde. Il ne broncha pas quand un crétin du 2e étage qu'il avait remplacé une semaine à son boulot refusa de lui payer un seul franc du fruit de son travail. Il se glissa subtilement dans le rôle du garçon de courses de Jean-Marie, le parrain des locations de chambres et pseudo-président des résidents du bâtiment en ruine. Et un jour, se présenta l'occasion qu'il attendait. Au ghetto, une telle occasion certes faisait de toi un semblable, mais surtout, elle déterminait les marques de respect ou d'emmerdement auxquelles tu aurais droit. Ce jour-là, devant un parterre ébahi de Méciens, il planta un python, un coup de tête magistral, à un « étranger » venu molester un résident. Une histoire de dette. Elle ne touchait Kassoum ni de près, ni de loin. Par ce « gaillard coup-tête » comme on dit au Colosse, il ne rata

---

1. Voleurs à la tire.

pas l'occasion de montrer aux autres qu'il pouvait être d'un grand pouvoir de nuisance, mais que faisant désormais partie de la «famille», on pouvait compter sur lui. Le message passa clairement. Tous les ghettos du monde étaient pareils. Le lendemain matin, Jean-Marie lui présenta l'oncle Ferdinand et, la nuit qui suivit, Kassoum se retrouva à surveiller une usine abandonnée, en se faisant tirer dans tous les sens par un gros chien nommé Joseph : son premier travail, le premier vrai travail de toute sa vie.

«*Regarde bien : la télédétection, la garde rapprochée, le convoyage de fonds, les sites sensibles, les techniques avancées de prévention des incendies, les centrales nucléaires, les mégastructures, etc., tout ce qui dans la sécurité est économiquement juteux et supposé techniquement complexe, on le réserve aux Blancs. Les vols dans les magasins ou sur les chantiers, prévenir l'installation de squatteurs sur un site, noter des entrées et sorties, remarquer des variations sur des écrans de contrôle, assurer une simple présence dissuasive, tenir des barrières lors de concerts ou d'événements publics, etc., tout ça n'est pas vraiment très compliqué. Mais pour une grosse boîte, cela engendre du personnel supplémentaire, des cotisations supplémentaires, des impôts supplémentaires, une logistique supplémentaire, bref, beaucoup de*

problèmes supplémentaires pour très peu d'argent supplémentaire. La sous-traitance s'est rapidement et massivement imposée afin de continuer à gagner de l'argent tout en faisant faire le boulot par d'autres. Capitalisme pur. Ces choses simples à exécuter, on peut confier leur exploitation à des nègres. En plus, en cas de grand besoin de main-d'œuvre, ils peuvent facilement mobiliser leurs "frères". Ce n'est même pas du racisme, ce n'est pas une question de couleur de peau. C'est juste une question de blé, mon pote. C'est comme ça que l'oncle Ferdinand et tous les vieux Ivoiriens de Paris ont monté des sociétés qu'ils appellent abusivement sociétés de sécurité. Kassoum, tout ce système-là marche parce qu'en réalité, il n'y a rien à surveiller. Jusqu'à aujourd'hui, une simple présence négrière suffisait pour donner le sentiment qu'un site était en sécurité. Le sentiment, Kassoum, le sentiment, on ne gère que le sentiment de sécurité.

« Mais avec ce qui se passe à New York, je peux t'assurer que les Blancs vont reprendre les choses en main. Il y aura désormais des choses à vraiment surveiller, des intrus à intercepter, des sites à réellement sécuriser, de façon professionnelle. Le sentiment d'insécurité est devenu plus grand que les défuntes tours, même superposées. Il faudra donc en faire beaucoup plus pour le combler. En tout cas, beaucoup plus qu'une simple présence négrière.

Les exigences seront très grandes pour avoir du boulot désormais. Ils vont regarder nos papiers à la loupe avant de nous permettre de nous mettre debout devant n'importe quelle enseigne de merde.

«Kassoum, la planète entière vient de plonger dans l'ère de la paranoïa, le temps du tout sécuritaire. À partir de ce jour, le monde n'aura plus le même visage. Je peux te dire sans me tromper que dans un mois au plus tard, toi et moi, on n'aura plus de boulot. En tout cas, plus avec l'oncle Ferdinand.»

Kassoum se souvint. Tout s'était passé comme Ossiri l'avait dit. Les heures de vacation s'étaient peu à peu étirées pour finir par complètement disparaître. Au bout de quelques mois, on ne vit plus la 205 GRD de l'oncle Ferdinand venir chercher les agents spéciaux de la MECI. Toute société de sécurité devait désormais avoir une autorisation spéciale de la préfecture de police pour pouvoir continuer à exercer. Même pour un simple poste d'ADS, agent de sécurité, pour faire ce que Kassoum avait fait sans problème pendant des années, il fallait maintenant un permis que la préfecture ne délivrait qu'après examen de la carte de séjour et présentation d'un casier judiciaire aussi vierge de délits que la matrice de Marie était vierge de bites palestiniennes. Ceux que l'oncle Ferdinand avait l'habitude de faire travailler pensaient qu'il allait bientôt obtenir cette fameuse autorisation et que les choses allaient redevenir comme avant. Par contre, ceux qui n'avaient jamais bossé avec lui ou ceux qu'il avait renvoyés pour une raison ou une autre assuraient que Ferdinand avait déposé le bilan depuis longtemps mais qu'il mentait de façon éhontée à propos de l'autorisation préfectorale. Tout ça pour ne pas payer ceux à qui il devait encore des salaires. Et comme un malheur se déplaçait toujours avec ses frères, sœurs et cousins plus ou moins éloignés, la rumeur disait aussi que tout le monde allait être très bientôt expulsé de la MECI. Ceux qui étaient là depuis longtemps disaient qu'ils en avaient vu d'autres. Ils pensaient qu'il n'allait rien se passer, comme d'habitude, et que personne n'allait avoir le courage de les mettre dehors avec leurs familles en plein hiver. Ceux qui n'étaient pas là depuis longtemps ne contredisaient pas les anciens mais ils recherchaient en cachette de nouveaux points de chute, savait-on jamais ! À Paris, le Ponia, la MEC et quelques squats mythiques de la communauté africaine avaient été évacués manu militari malgré les protestations habituelles des associations de gauche et de toutes les organisations professionnelles de défense des opprimés et des laissés-pour-compte. Les nouveaux semblaient plus lucides, ou plus résignés, mais ils se gardaient de le montrer aux autres.

À la MECI, toutes les rumeurs étaient à moitié fausses ou à moitié vraies. Et elles étaient d'autant plus nombreuses et fantaisistes que l'oisiveté était grande. Quand il n'y avait pas de travail de vigile en ville, il n'y avait pas de travailleurs à la MECI. Les rumeurs allaient donc bon train. Comme dans tous les ghettos du monde, les Méciens bougeaient peu. Ils restaient entre eux, enfermés dans la cale de leur propre misère, incapables d'une simple balade à l'air libre sur le pont de leur galère. Aucun mur, aucun geôlier ne les retenait physiquement. La place d'Italie et ses nombreux cafés étaient à deux minutes de marche, la Butte-aux-Cailles et ses bars branchés à cinq minutes. Les jardins de Bercy étaient à trois stations de métro. Même la grande cour de l'hôpital de la Pitié-Salpêtrière, à deux pas de la MECI, était d'un formidable dépaysement en plein Paris, pour peu qu'on daignât y faire un tour. Mais chez la plupart des humains, le ghetto, riche ou pauvre, rétrécit l'horizon, il fabrique des barreaux dans la tête. Tout se passait comme si, en prenant l'habitude de sortir de la MECI, ils avaient peur de s'habituer à de trop bonnes choses, à des choses normales, des choses simples comme un hall d'immeuble propre, des toilettes nettoyées, une chasse d'eau qui marche, des escaliers réguliers, des murs immaculés, des souris et des cafards absents, des poubelles vidées… «*Le pire dans la misère, c'est de s'accoutumer au manque*[1].» Kassoum connaissait bien ce syndrome du ghetto. Il l'avait largement expérimenté au Colosse. Il n'allait pas recommencer à Paris. Il voyait Ossiri sortir tous les matins pour ne rentrer que tard le soir. Il décida de le suivre.

Une visite dans les secteurs gratuits du musée du Louvre ; une exposition photo dans une drôle de maison vers Saint-Paul, pas loin de la place de la Bastille ; une interminable balade le long du canal de l'Ourcq ; une promenade au cimetière du Père-Lachaise ; plusieurs visites chez des hommes et des femmes blancs qui étaient visiblement ses amis ; une soirée dans le XVIIIe arrondissement, à deux pas du marché nègre de Château-Rouge, chez un Antillais où il y avait des gens de toutes les carnations imaginables ; plusieurs petits concerts gratuits dans des bars de Belleville ; des cafés bus à des terrasses où tu parlais à des voisins qui n'avaient pas l'air de voir que tu venais du Colosse à Treichville ; un pèlerinage dans une médiathèque où il y avait plus

1. Michel Alex Kipré, *Sang pansé*, éditions Harmattan-FratMat.

de disques de musique africaine que dans tout Abidjan ; une boîte de nuit à Bastille où tous les videurs étaient des anciens brigands d'Abobo[1] ; et même une pièce de théâtre dans une minuscule salle de Ménilmontant... À suivre Ossiri, Kassoum fit des choses inimaginables. En quatre semaines, il vit plus de lieux, il comprit plus de culture, il rencontra plus de gens, il apprit plus de choses qu'en quatre ans de vie en France, enfermé à la MECI. En quatre semaines, Kassoum apprit qu'il n'était pas seulement à l'étranger, il comprit qu'il avait aussi voyagé. Ossiri lui montra qu'il était dans une autre culture, un autre monde, avec ses beautés et ses laideurs, ses trous sans fond et ses sommets himalayens, comme partout ailleurs. Ossiri lui révéla combien il était riche du simple fait d'avoir voyagé. *« Kassoum, juste parce que tu es là, tu es un homme meilleur. Meilleur que les gens du Colosse parce qu'ils ne connaîtront jamais Paris. Meilleur que les gens de Paris parce qu'ils ne connaîtront jamais le Colosse. »* Un après-midi, alors qu'ils descendaient à pied le boulevard de l'Hôpital en direction de la Seine, Ossiri lui demanda de lever les yeux. D'abord, Kassoum ne vit rien. Mais Ossiri insista. Kassoum se sentait un peu ridicule, arrêté comme ça sur le trottoir, la tête

---

1. Quartier populaire au nord-est d'Abidjan.

en l'air à scruter un ciel bleu vide de nuages. Bleu. Vide de nuages. Bleu. Le ciel était bleu. Cela pouvait sembler banal mais Kassoum comprit ce qu'Ossiri voulait lui montrer. À Abidjan, jamais le ciel n'était bleu. Il était toujours chargé de troupeaux entiers de nuages étalant leurs dégradés de gris plus ou moins profond. Le vent, invisible berger, les emmenait paître de-ci de-là jusqu'à ce qu'ils s'épaississent, enflent et deviennent de gros cumulus massifs gris-noir avant de se répandre sur la terre en de violentes pluies tropicales. Cette voûte azur dégagée au-dessus de la gare d'Austerlitz, ce bleu profond balafré par les sillons blancs des réacteurs des longs-courriers... Kassoum découvrait.

Kassoum découvrait Ossiri, aussi. Le garçon timide et réservé de la MECI n'avait rien à voir avec l'être stellaire et généreux qui lui faisait découvrir Paris. Il lui faisait voir la vie sous un autre regard que celui de l'immigré sans-papiers en permanence apeuré à l'idée d'un contrôle inopiné de police. À la MECI, tout le monde se moquait des manies un peu précieuses d'Ossiri. Il se lavait tout le temps les mains. Il nettoyait les toilettes et la douche sur le palier. Il avait une poubelle personnelle qu'il vidait dans les poubelles publiques du boulevard. Il se réveillait le premier, enroulait son matelas, le rangeait dans un coin et sortait toujours avec un gros sac où il y avait presque toutes ses affaires ! La rumeur disait qu'à Abidjan, il était sûrement le boy d'un Blanc maniaque, et que c'était pour cela qu'il ne pouvait s'empêcher de faire tout le temps le ménage. Mais par-dessus tout, une chose que personne ne comprenait à propos d'Ossiri, c'était le respect, voire la déférence que ce vieil hibou malhonnête de Jean-Marie lui montrait. Jamais il ne lui réclamait bruyamment son loyer et il ne bronchait pas quand de temps en temps, Ossiri installait pour la nuit son matelas dans l'ancienne salle d'étude. Cette salle d'étude, c'était le grand business de Jean-Marie. Il la louait pour toutes sortes de manifestations communautaires. Mais elle était surtout prisée pour les funérailles, les funérailles des Bété. Chez ceux-là, les funérailles étaient le *nec plus ultra* des manifestations sociales. De sorte que chaque fois qu'un Bété mourait sur la planète, partout où il avait un frère, une sœur, un fils, une fille ou même un cousin éloigné, on lui organisait au moins une veillée funéraire. En général un vendredi ou un samedi, adaptation au temps du travail moderne. Pendant cette veillée, des cotisations pouvant atteindre des montants faramineux étaient levées et remises au représentant de la famille éplorée. Autant dire que dans la difficile vie d'immigrés des Bété de Paris, la perte d'un parent proche n'était pas forcément une mauvaise nouvelle. Les Bété de Paris organisaient presque toutes leurs veillées à la MECI. La location de la salle était bon marché et aucun des Ivoiriens de ce vieux bâtiment ne se plaindrait des nuisances sonores des funérailles Bété. Culture. Et puis, ils étaient presque tous des sans-papiers. Personne n'oserait appeler la police pour tapage nocturne. Évidence. Jean-Marie prospérait. La salle d'étude était le seul endroit correctement tenu de tout le cloaque de la MECI. Il la gardait jalousement. Une raison pour laquelle tout le monde était surpris qu'il ne dise rien lorsque cet Ossiri s'y réfugiait.

À Paris, chaque année, entre le 1ᵉʳ novembre et le 31 mars, il était interdit d'expulser tout locataire honnête ou malhonnête, tout occupant légal ou non d'un logement, s'il y était installé de façon pérenne, c'est-à-dire avec matelas et couverture. Ossiri ne savait pas si c'était une simple coutume ou une loi de l'intraitable code civil napoléonien régissant encore la vie des Français et de toutes leurs conquêtes coloniales à travers le monde, Côte-d'Ivoire comprise. Il expliqua à Kassoum que c'était une espèce de trêve humanitaire imposée par la climatologie. Sous ces latitudes, tout le monde, même Thénardier, le méchant «tonton» de Cosette, savait que dormir dehors en hiver et mourir de froid n'était pas très drôle.

L'avis d'expulsion de tous les occupants du 150, boulevard Vincent-Auriol arriva dans le courant d'un mois de mars. La fin géographique de l'hiver était au 21 mars. En des termes très martiaux, l'avis d'expulsion enjoignait tout le monde à quitter le bâtiment avant le 31 mars, la fin administrative de l'hiver. Si ce n'était pas le cas pour tous à cette date, l'avis fixait une expulsion par la force publique au 1er avril, premier jour après la fin de la trêve hivernale. C'était du sérieux. Quand les associations humanitaires du quartier débarquèrent pour soutenir les «Méciens», tout le monde sut que cette fois, l'affaire était complètement cuite. Le DAL, les Restos du Cœur, Médecins du Monde... toutes ces associations humanitaires, plus elles se rapprochaient de vous, plus vous pouviez vous considérer comme enfoncés dans la merde jusqu'au cou. Leurs membres avaient souvent le sentiment christique d'être porteurs d'un espoir qui passait par leur seul engagement social. Mais pour les sans-papiers et autres cas sociaux, ils représentaient les symboles gesticulants de leur désespoir et une photographie réaliste de leur triste situation. Il restait environ une semaine pour se trouver une solution quand Kassoum comprit que chaque résident de la MECI avait déjà trouvé sa formule de repli. Mais les derniers jours avant l'expulsion, il s'agissait d'être le plus actif possible «au front de la résistance». Il fallait montrer, démontrer, le plus spectaculairement possible, combien il était injuste de jeter de pauvres Noirs sans défense à la rue. Il fallait crier le plus haut possible son indignation, sa colère, et de préférence dans les plus belles formules possible. La presse aimait ça, les indignations criées dans de belles tournures linguistiques. Cela rendait la lutte radio-télégénique. Jean-Marie en tête, toute la MECI s'était brusquement transformée en nid de gauchistes radicaux, de pourfendeurs du capitalisme égoïste, de dénonciateurs des injustices sociales. Tout le monde était devenu une innocente victime expiatoire de la «*politique xénophobe*» d'un «*gouvernement de fascistes*». La taille du bâtiment à vider, le nombre important de résidents, mais aussi la mobilisation des associations du quartier, avaient attiré quelques organes de presse. S'engagea alors entre Méciens la bataille pour prendre la parole afin de gagner le titre très convoité de porte-parole des résidents. Dès qu'un micro Shure, Rode, Sony ou Sennheiser était tendu, dès qu'une caméra épaulée montrait un bout de lentille Zeiss, c'était la lutte des paroles portées, la guerre des porte-parole. Tous avaient attrapé le *syndrome MSB*.

À la fin des années 90, pour éviter d'être expulsés de France, un groupe de sans-papiers se réfugièrent en l'église Saint-Bernard, dans le XVIIIe arrondissement de Paris. La France, première fille de l'Église, n'allait pas oser bafouer un lieu où se déroulait tous les dimanches le partage bimillénaire de la sainte eucharistie. Il arrivait à des sans-papiers d'avoir de bonnes idées. La police assiégea le saint lieu. Les médias accoururent témoigner du face-à-face incongru. Tout le temps que dura le siège, la presse de gauche comme de droite se trouva un chouchou sénégalais répondant au doux et caricatural prénom de Mamadou. Il s'appelait Diop en réalité mais un négro, ça s'appelle Mamadou, c'est plus simple et facile à prononcer. Il avait une bonne tête le Mamadou, et il parlait le français sans un trop fort accent et beaucoup mieux que la plupart des analphabètes avec lesquels il s'était fourré dans la chapelle. La France entière pouvait enfin mettre un visage et une voix sur ce qu'était un sans-papiers, un clandestin, un irrégulier. Évidemment, ni la mobilisation autour de cette affaire ni les belles phrases de Mamadou n'empêchèrent un brutal et spectaculaire assaut des forces de l'ordre sur l'église. Sur un ordre de Debré, les policiers défoncèrent les portes de l'église à la hache et au bélier. Un assaut moyenâgeux. Sans-papiers, prêtres, bonnes sœurs, journalistes, voisins solidaires, militants de gauche, quidams de passage, etc., tout le monde, sans distinction de race pour une fois, fut jeté sans ménagement hors de l'église. Après un tri colorimétrique très facile, tous les Noirs furent rangés dans des paniers à salade hurlant de toutes leurs sirènes. Les réacteurs des charters sur le tarmac de Roissy étaient déjà chauds, alors ça n'a pas pris beaucoup de temps à ceux qui n'avaient pas de papiers pour se retrouver à Dakar ou Bamako. On ne sait pas si le Mamadou fut du voyage. On ne sait trop comment quelques mois après notre Mamadou obtint ses papiers. Son histoire se « conte-de-fées-isa » carrément dans la foulée quand il gagna des millions de francs bien français dans une étrange histoire de plagiat de nom de domaine avec Vivendi Universal. Depuis lors, à chaque expulsion médiatisée, tout le monde rêvait d'être The Mamadou : *syndrome MSB, syndrome Mamadou de Saint-Bernard.*

À ce jeu, c'était Jean-Marie qui s'en sortait le mieux. Mais hélas pour lui, l'expulsion ne fut pas très relayée par les médias. Il devait y avoir des choses plus spectaculaires dans l'actualité nationale et internationale du moment. Et puis, pas trop longtemps avant, l'expulsion d'un squat d'Africains à Arcueil avait un peu épuisé le sujet. Là-bas, des acteurs et actrices célèbres s'étaient même exposés pour défendre La Cause, volant ainsi la vedette à toutes sortes de porte-parole nègres. Les CRS évacuèrent donc la MECI sans grande difficulté ni vacarme. Il y eut bien quelques cris, un petit peu de gesticulations mais au fond, personne ne pouvait se battre avec sincérité pour avoir le droit de continuer à vivre dans un immeuble aussi pourri et insalubre. Raisonnablement personne.

Ossiri avait trouvé à partager un petit appartement au-dessus de la Chapelle des Lombards, une boîte de nuit non loin de la place de la Bastille. Il s'y installa avec Kassoum. C'était le logement de fonction du videur de la boîte. En quelque sorte. Ossiri connaissait Zandro, le fier-à-bras de cette boîte, depuis Abidjan. Des bagarres de lycéens les avaient souvent opposés. Quand Ossiri et Zandro se rencontrèrent par hasard un jour d'été devant l'Opéra Bastille, le souvenir des rixes débiles de l'époque les réunit tout de suite. Lorsque la nuit, Zandro tenait la porte de la «Chapelle» en dessous, Ossiri et Kassoum dormaient au-dessus, bercés par les vibrations des caissons de basse. Et la journée, c'était au tour du physionomiste de dormir pendant que les autres allaient se chercher un quelconque travail du moment. Car grâce à toutes les connaissances et tous les amis d'Ossiri, Kassoum trouvait toujours du travail. Déménagement, montage et démontage de marchés, évacuation de gravats, jardinage, etc., un peu partout où s'offrait une opportunité de travail, Kassoum était volontaire. Mais quand les attentats terroristes immigrèrent en Europe avec les bombes dans le train de la gare de Madrid, les métiers de la sécurité, paradoxalement, s'ouvrirent à nouveau à des gens d'une situation administrative douteuse comme Kassoum. Les attentats dans les bus de Londres accélérèrent ce mouvement, paradoxal en apparence. On avait besoin de plus en plus de mains et d'yeux pour fouiller dans les sacs, dans les poubelles, contrôler les accès, filtrer les entrées… Les « debout-payés » étaient de retour. Mais pas les sociétés sous-traitantes tenues par de vieux Ivoiriens de France. Leurs boîtes avaient toutes coulé, englouties par le manque de confiance des clients et par les nouvelles exigences préfectorales. Les nouveaux employeurs, ceux qui pouvaient avoir des contrats et tous les permis d'exercice, étaient désormais blancs.

Bruit d'interphone, coup d'œil sur l'écran de contrôle de la caméra de surveillance, pression sur un bouton, gémissement de la serrure, ouverture du sas, un homme ou une femme toujours très pressé(e), bonjour grommelé entre les dents, sacs et objets métalliques posés dans un bac plastique sur un tapis roulant, passage de l'homme ou de la femme très pressé(e) dans le portique, passage du bac en plastique avec sacs et objets métalliques dans le caisson à rayons X, coup d'œil sur l'écran de contrôle du caisson à rayons X, l'homme ou la femme pressé(e) récupère ses affaires dans le bac en plastique, merci grommelé entre les dents, l'homme ou la femme très pressé(e) disparaît dans le hall en direction des ascenseurs, au suivant... Le travail consiste en ce protocole simple et immuable. Dans son petit bureau éclairé au néon blanc, à travers une baie vitrée encadrée de réglettes en plastique couleur bois, il a une vue imprenable sur le portique, sur son portique. La vitre est censée être à l'épreuve des balles ; il croit le fabricant sur parole.

Au milieu de la vitre rectangle, l'homme noir dont on ne voit que la tête et le tronc, c'est Kassoum. Il est habillé dans une veste noire, une chemise blanche et une cravate noire. Dans cet environnement froid et dépouillé, il est comme un élément d'un décor design aux lignes épurées, façon Bauhaus. Un élément de décor interactif. Car on l'entend répondre avec un grand sourire aux bonjours grommelés entre les dents par les hommes ou les femmes très pressé(e)s. Et après le « merci » de convenance lorsqu'il leur ouvre le deuxième sas, Kassoum ne rate jamais l'occasion de leur lancer à la nuque un tonitruant « bonne journée » pendant qu'ils détalent déjà vers les ascenseurs. Il est rare que le portique magnétique pousse sa stridulante complainte ou que les rayons X signalent une bizarrerie quelconque dans les nombreux sacs qu'ils traversent impudiquement à longueur de journée. Mais quand cela arrive, Kassoum n'a qu'à appuyer sur un bouton pour aviser le poste de commandement, le fameux PC, situé au 1er étage, juste au-dessus de sa tête. Hiérarchie du travail. Alors apparaît un agent. Comme par enchantement. L'effet de surprise est censé déstabiliser. L'individu suspect, même si c'est le roi du Lesotho ou la reine d'Angleterre en personne, est rapidement isolé dans une petite chambre de fouille pendant que les autres hommes et femmes très pressé(e)s continuent d'entrer comme si rien d'anormal ne se passait. Les hommes et les femmes très pressé(e)s n'ont pas le temps de s'occuper d'un énergumène qui oublie un porte-clés au fond d'une poche avant de traverser un portique magnétique. Pourtant, cela peut aussi bien être un terroriste qui essaie de rentrer avec une kalachnikov dissimulée dans le slip. Un de ces fanatiques extrémistes, de préférence musulman arabe, assoiffé du sang frais d'innocents occidentaux travaillant dans une des plus grandes sociétés de biomédical du monde. Pour les hommes et les femmes très pressé(e)s, il n'y a aucune différence entre le distrait et le terroriste. Ils n'ont même pas à penser à ces gens qui font brailler les alarmes. C'est pour leur éviter cela que leur société paye cette armée de vigiles et ces onéreux équipements de sécurité.

Kassoum est à son poste ; les hommes et les femmes très pressé(e)s peuvent tranquillement continuer à être très pressé(e)s tous les matins. Kassoum ne voit que les « entrants ». Tout le monde est obligé de passer par là et de se plier à ce cérémonial d'entrée. Son pic d'activité, Kassoum l'observe donc le matin. Le reste de la journée, il répond à quelques appels sur un téléphone sophistiqué et très boutonneux dont il ne maîtrise que trois fonctions : décrocher, raccrocher, transférer. Avant le « poste des entrants », il y a les « badgistes », le poste de contrôle et d'enregistrement des identités. Là-bas, ils distribuent des badges aux visiteurs, d'où le surnom que Kassoum leur a collé. De l'autre côté du grand hall d'entrée, c'est le poste des « sortants ». Les postes sont nombreux, les procédures d'intervention sont complexes. Division du travail. Plus le site est sensible, plus nombreux sont les postes, plus complexes sont les procédures d'intervention. Il n'y a donc aucune place pour les initiatives personnelles et le zèle. Avant de faire quoi que ce soit, il y a toujours une cascade de consignes, d'ordres et de donneurs d'ordres. Sur les sites sensibles, le travail de vigile est tranquille. S'il n'y avait pas autant de chefs en embuscade dans toutes sortes de couloirs ou de bureaux, ce serait vraiment le pied pour Kassoum. En tout cas, c'est le poste le plus tranquille qu'il ait jamais eu depuis la belle époque des Grands Moulins de Paris.

Une sonnerie stridente le tire de ses rêveries. Le détecteur de métaux. C'est une femme. Une femme très très pressée qui fait une mine décomposée rien qu'à l'idée de passer en salle de fouille. Quand elle lui lance un regard étonné, il y a de la supplique dans ses yeux verts. Des yeux verts comme ceux de sa femme. Elle est enceinte, comme sa femme. Sa belle Amélie qui va lui donner un garçon dans moins de deux semaines. Ils savent déjà comment s'appellera l'enfant. Kassoum n'appuiera pas sur le bouton d'alarme du PC. Il fait signe à la femme très très pressée de continuer son chemin. Peut-être commet-il une faute professionnelle très grave. Peut-être laisse-t-il entrer une dangereuse terroriste avec un faux ventre rempli de plastique C4, l'explosif préféré des terroristes occidentaux. Peut-être. Mais pour son dernier jour en tant que vigile, Kassoum ne va pas faire de zèle. Après sept ans de vie en France, il a rendez-vous à la préfecture de police. Demain, peut-être obtiendra-t-il sa première carte de séjour. Peut-être.

Épilogue

Ossiri fit promettre à Kassoum que dès le premier jour où il aurait ses papiers, il arrêterait de faire les «debout-payés». «*Je ne t'ai jamais vu aussi heureux que les jours où on travaillait avec les jardiniers*», lui avait-il tout simplement dit. Deux jours après, Ossiri sortit et ne rentra jamais. On n'appelle pas la police pour signaler la disparition d'un sans-papiers. À part quelques questions posées à des proches, personne ne fit rien pour le retrouver. Ici, il n'était rien pour personne et personne pour tout le monde. Une rumeur disait qu'il était rentré à Abidjan. Le cousin d'un ancien Mécien certifiait avoir aperçu Ossiri dans un maquis d'Adjouffou, un ghetto constitué au pied des pistes d'atterrissage de l'aéroport Félix-Houphouët-Boigny d'Abidjan. Ossiri à Adjouffou? Kassoum n'y croyait pas. Comment serait-il rentré à Abidjan, d'ailleurs? Rapatrié? Ossiri ne prenait jamais le métro sans payer. C'est vrai qu'il lui racontait souvent un rêve délirant et récurrent sur les « reconduites à la frontière » où il y avait des fleurs et une chorale. Mais les histoires loufoques, Ossiri en avait pour tous les rayons de tous les Sephora de Gaule. Et puis, tout le monde savait qu'avant la « reconduite à la frontière », il y avait la case prison. Double peine pour les sans-papiers. Un héroïnomane junkie violeur, un escroc de haut vol ou un dealer de crack multirécidiviste étaient pénalement mieux traités qu'un tranquille travailleur sans carte de séjour. *Dura lex...* Ossiri savait cela. Non, il ne pouvait pas être à Adjouffou. Kassoum ne voulait pas y croire. Il ressentait juste qu'il n'avait pas à s'inquiéter. Instinct de la rue. Les malheurs sont toujours bien plus bruyants que les bonheurs. Un jour, en changeant de blouson, Kassoum découvrit un mot griffonné de l'écriture inclinée en avant d'Ossiri : « *Laisse le travail des vautours aux vautours.* » Né à Treichville, grandi à Abobo-derrière-rail, formé au Colosse, venu en France quasiment à pied depuis Abidjan squatter à la MECI, lui, Kassoum, pleura pour la première fois devant des mots.

GauZ'

Table

Le Livre de Poche s'engage pour
l'environnement en réduisant
l'empreinte carbone de ses livres.
Celle de cet exemplaire est de :
400 g éq. CO_2
Rendez-vous sur
www.livredepoche-durable.fr

PAPIER À BASE DE
FIBRES CERTIFIÉES

Composition réalisée par Maury-Imprimeur

Achevé d'imprimer en France par
CPI BUSSIÈRE (18200 Saint-Amand-Montrond)
en juillet 2022
N° d'impression : 2066101
Dépôt légal 1re publication : novembre 2015
Édition 11 - juillet 2022
LIBRAIRIE GÉNÉRALE FRANÇAISE
21, rue du Montparnasse – 75298 Paris Cedex 06